KB096653

숲에 모여 글을 썼습니다

숲에 모여 글을 썼습니다

표선희름자국
랑희두광
사이류아자홍

2023. 12. 11, 새벽녘에 고유출판사로부터 한 통의 카카오톡을 받았습니다. 곧 정식 출간될 "숲에 모여 글을 썼습니다."의 책 소개 글을 요청하는 내용이었습니다. 그 순간, 반갑기도 하고 부담스럽기도 한 양가감정에 휩싸였습니다. 아마도 그 감정의 정체는 멋진 글을 써내야 한다는 욕망의 결과물일 것입니다.

하여, 욕망을 떨치기 위해 아무 생각 없이 떠오르는 단어들을 메모지에 적기 시작했습니다. 그러자 "생존, 삶, 경쟁, 회복, 치유, 미래, 희망, 함께, 존재, 연결, 알아차림" 단어들이 종이의 흰 여백에 채워졌습니다. 어떤 의도를 가지지 않고 한동안 물끄러미 그것들을 바라보았습니다. 그러자 나열된 단어의 느낌들이 참가 작가들의 글에서 묻어 나오고 있다는 공통점을 깨닫게 되었습니다. 그들의 성별, 나이, 경험, 직업 등이 다양한데도 "글쓰기숲치유" 라는 프로젝트 이름만으로 이렇게 서로 연결될 수 있다는 것이 참으로 흥미롭습니다.

2023년 10월, 약 한 달 동안 우리는 온라인과 오프라인 공간에서 내면의 희로애락을 어르고 달래서 조심스럽게 꺼냈습니다. 이렇게 밖으로 나온 것들을 다시 글로 써냈고, 지금 여기 책으로 나와 당당히 세상을 마주하고 있습니다. 심리학에서는 이러한 과정을 구성주의 이론을 기반으로 하는 글쓰기 치유라고 부르기도 합니다. 상처(트라우마)가 치유되었기에 드러내어 표현할 수 있겠지만, 한편으로는 표현하는 과정에서 치유가 일어난다고 보는 것이 좀 더 적절할 수도 있겠습니다. 왜냐하면, 상처를 꺼내놓고 건들지 않으면 어떠한 방법으로도 치유할 수 없기 때문일 것입니다.

이런 이유로 우리가 "숲에 모여 글을 썼습니다."를 다른 말로 바꾸어 본다면 우리는 "숲에 모여 글쓰기를 통해 표현함으로써 상처를 치유하고 성장했습니다." 가 아닐까 싶습니다. 이 과정을 통해 조금은 건강해진 몸과 마음을 가지고, 우리 앞에 펼쳐진 고해를 헤쳐나가십시오. 저는 여기서 여러분의 다음 이야기를 기다리고 있겠습니다.

홍광국 치유나무숲 아웃도어연구회 대표

늘 숲을 그렸습니다. 애써 빼곡히 채운 종이 한 장이 어느 나무에게서 온 것일까, 헤아리다 보면 그것이 올곧게 서 있는 자리에 닿았습니다. 빛이 드는 정도에 따라 밝거나 짙은 초록으로 울창한 그곳에서 한참을 멍하니 우두커니 있었습니다. 문득 어떤 목소리가 들려 내내 따라 걸었습니다. 그런 헤맴만으로도 쓰이는 문장이 있었습니다. 사소하게 긁힌 자리가 다소 아프다가 이내 간지러워질 때까지. 지금도 숲을, 숲의 숲을 맨손으로 걷어내며 나아가고 있는지도 모르겠습니다. 마음을 다해 글을 쓰는 일을 이렇게 이해합니다.

여기까지 겨우 적고 나서 저는 여러분의 손에 이끌려 충청북도 제천에 있는 어느 숲에 다녀왔습니다. 단단하다 믿고 온전히 디디면 미끄러지도록 배반하여서 몸이 요란하게 구부러졌다 늘어났습니다. 이토록 몸을 다해 도착한 곳은 높았습니다. 한참 바랐으나 막상 얻으려니 두려운 그 높이에 앉아 우리는 초고를 나누었습니다. 자기만의 공간에서, 그만이 간직한 숲에서 얻은 시작을 나누었습니다. 이후 큰 나뭇가지 사이에 작은 나뭇가지를 밀어 넣는 방식으로 퇴고했습니다. 낯설고 투박한 숲, 그 바탕 위에 튼튼한 둥지를 지었습니다. 새롭게 나타났습니다.

박정원 작가

차례

주최 | 치유나무숲

주관 | 한국산림복지진흥원

협력사 | 유별란글씨공방, 기억공장

기억공장
MEMORY FACTORY

사랑표

지금 만나러 갑니다

(feat. 치유의 시간을 통해 삶의 온기를 채우다.)

프롤로그

지금을 살지 못하고 과거와 미래를 오가며 잡념 속에서 사는 그녀, 지쳐 있지만 그것조차 인지하지 못한 채 무언가를 찾아 헤맨다.

무엇을 좋아하는지, 무엇을 원하는지 잊은 지 오래다.
온종일 떠들고 있지만 무슨 이야기를 하는지, 이 이야기를 왜 하는지 모른다.

앞이 보이지 않는 안갯속을 걷는 것처럼 선명하지 않다.
무엇이 그토록 그녀를 힘들게 하는 것일까?

1화. 존재감

짱이는 어느 시골마을의 셋째 딸로 태어나요.

짱이의 부모님은 배움도 부족하고 가진 것도 없지만 마음이 여리고 따뜻한 분들이에요.

아들을 낳고 싶었던 부모님은 셋째도 딸을 낳자 많이 속상해 하셨죠.

짱이는 태어난 순간부터 엄마의 슬픈 표정과 눈물을
아빠의 폭군 같은 화남을 맞이합니다.
울고 싶어도 울지 못하고 눈물을 참습니다.

짱이아빠는 이야기를 잘하는 편이고 유머 감각도 나름 있으시고 사랑도 많은 분이지만 자기 연민과 부정적인 사고가 강한 분이었어요. 3남 2녀 중 3남이었는데 1남에 대한 화가 많았죠.

짱이엄마는 표현이 서툴고 자기 이야기를 잘하지 않았어요. 정이 많고 소녀 같은 분이었는데 어르신들과 장애인분들을 많이 돕는 정 많은 분이었어요. 4남 3녀 중 막내딸로 여린 모습이 많았어요.

짱이가 태어난 날 짱이아빠는 딸이라는 소식을 듣고 그날 집에 들어오지 않으셨다고 해요. 당시 병원이 아닌 집에서 태어난 짱이는 같은 마을에 사는 큰엄마가 짱이를 받아주셨는데요. 짱이 엄마는 딸을 낳고 눈물로 시간을 보냈다고 해요. 남아선호사상이 강한 우리나라에서 흔히 볼 수 있는 장면일 수 있겠으나 태어남과 동시에 환영받지 못했다고 생각하니 짱이의 마음이 어땠을지 너무나 가여운 마음이 들었어요.

짱이 아빠는 셋째도 딸을 낳자 짱이가 아장아장 걸을 때 속상한 마음에 짱이를 안아주지 않았다고 해요. 그때 짱이의 어깨가 축 처진 체 아빠 뒤를 졸졸 따라왔던 에피소드를 짱이아빠는 미안해하며 짱이가 커서 이야기해 주셨는데요. 짱이는 기억나지도 않는 이 장면이 선명하게 그려지면서 자기 연민의 감정으로 한참을 울기도 했어요.

그런 짱이는 자신의 존재감을 인정받기 위해 부단히 노력해요.

"~을 해야 해. 그래야 너는 인정받을 수 있어."라는 틀 안에 갇혀 뭔가를 해야만 한다는 생각으로 살아가요.

짱이가 태어나고 2년 반 만에 부모님이 그토록 바라던 아들이 태어나는데요.

부모님은 아들의 탄생으로 세상의 모든 걸 얻은 듯 행복해하세요.

그 속에서 짱이는 왠지 모를 소외감과 자신의 존재감을 인정받기 위해 더 노력해요.

아무리 노력해도 부모님의 사랑과 관심을 받기에 남동생은 넘사벽이죠.

그런 환경에서 짱이는 무기력감과 결핍을 경험하지만 어떻게든 자신의 존재감을 인정받기 위해 애를 쓰며 살아갑니다.

다행히 짱이에게는 엄마를 대신해 줄 큰언니라는 존재가 있어요.

큰언니는 부모님의 사랑을 전폭적으로 받고 자라서인지 매사 긍정적이고 밝고 사랑스러운 캐릭터였어요. 동생들이 버거울 법도 한데 짱이 큰언니는 참 친절하고 따뜻했어요. 큰언니의 친구들은 모두 막내로 언니, 오빠들이 많아 어리광을 부릴 수 있는 환경이었지만 큰언니는 부모님을 대신해 동생들을 건사하는 참 좋은 언니였어요.

짱이는 뭐든 안 되는 일은 큰언니를 통해 충족해요. 숙제를 하다가 안 풀려도 언니를 찾고 먹고 싶은 게 있어도 언니를 찾아요. 무서운 일이 있어도 언니를 찾았죠. 언니를 꼭 껴안고 자는 게 너무나 행복했던 짱이는 어느 날 꼭 껴안은 사람이 큰언니가 아닌 둘째 언니인 걸 알고 확 밀쳤던 기억이 지금도 생생해요. 그만큼 짱이에게 마음의 안식처는 큰언니였죠.

토요일에도 학교를 가던 그 시절, 큰언니는 항상 토요일에 이벤트처럼 동생들을 위해 특별한 간식을 만들어주었어요. 장독대에서 먹던 도넛이 가끔 생각나는 짱이는 언니를 그리워하는 소울푸드예요. 마음씨 착하고 정도 많고 따뜻했던 짱이의 큰언니는 친구들에게도 인기가 많았어요.

짱이는 큰언니와 터울이 있어서 같이 어울려 놀지는 않았지만 둘째 언니는 두 살 터울인 큰언니의 껌딱지 같은 존재였어요. 하필 마을에는 큰언니 또래가 대여섯 정도 돼서 함께 몰려다니며 놀았는데 둘째 언니는 아쉽게도 또래가 없었어요. 항상 큰언니 친구들 틈바구니에 끼어서 어울려 놀았죠. 어릴 때부터 고집이 세고 울보여서 아빠는 둘째 언니를 많이 혼냈다고 해요. 반면 짱이는 순한 딸이었고 매사 솔선수범하며 부모님의 심부름도 잘하는 착한 딸이었어요.

막내인 남동생은 말 그대로 천상천하 유아독존이었죠. 태어남과 동시에 부모님의 사랑뿐만 아니라 동네 어른들의 사랑도 독차지했어요. 짱이 아빠는 당시 시골에서 농사지으며 가진 것은 없으셨지만 마을의 유지인 어른들과 돈독했고 술자리도 자주 해 동네 어른들이 또 한 번 남동생을 유아독존으로 만들었죠.

적절한 훈육 같은 건 없고 무조건적인 사랑과 오냐 오냐만 경험한 남동생은 이후 자기 조절이나 통제를 하는데 어려움을 겪게 되는데요. 자신의 힘으로 무엇인가를 성취한 경험이 없고 참어른의 가르침을 배운 적이 없다 보니 부정적인 감정에 휘둘리게 되는 경우가 많아요. 막내로 자라 사랑받고 행복했던 유년기가 있었지만 커 가는 과정에서 배워야 할 것들을 배우지 못하다 보니 장점이 많은 아이지만 힘들게 살아가게 돼 누나들은 늘 남동생이 안타깝고 안쓰러워요.

짱이는 존재감 없는 유년기를 보내지만 그 안에서도 무던히 자신의 존재감을 찾기 위해 착한 딸로 살아가요. 집안일은 뭐든 열심히 하고 아빠, 엄마의 농사일을 어른처럼 도와요. 학교에서는 열심히 공부하고요. 그 와중에 동네 어른들은 짱이네 집에서 술판을 자주 벌이셨는데 농담처럼 하는 이야기 중 하나가 "짱이야, 우리 집에 가서 살래? 우리 딸하자" 였어요. 짱이는 부끄러워하면서 대답을 회피했어요. 그런데 속마음은 그 집에 가서 사는 걸 상상했어요. 그리고 진짜 그 집에 가서 살고 싶다는 생각도 가끔 했어요. 또, 같은 마을에 큰집이 5분 거리에 있는데 명절이나 제사, 농사일을 하다 보면 수시로 큰집을 가는데 '큰집에서 사는 건 어떨까?'라는 생각도 했어요. 어느 날 언니들은 짱이에게 "너는 큰집이 그렇게 좋냐? 큰집 식구들을 더 좋아하는 것 같아."라는 이야기를 했는데 큰집 식구들을 더 좋아해서가 아니라 그냥 짱이의 마음이 늘 안식처를 찾았던 것 같아요.

짱이는 항상 백마 탄 왕자님을 상상하며 빨리 결혼을 하고 싶다는 생각을 했는데요. 지금 생각해 보면 짱이는 집안에서의 존재감에 대해 늘 의문을 품었던 것 같아요. 부모님은 착한 딸 짱이를 사랑해주셨지만 채워지지 않는 결핍을 늘 갖고 살았던 거죠.

2화. 날벼락

그렇게 유년기를 보낸 짱이에게 날벼락같은 일이 생겨요. 그것은 바로 큰언니의 갑작스러운 죽음인데요. 단 한 번도 생각해보지 못한 일이 아무런 준비도 없이 무방비 상태로 벌어지게 돼요.

'우리 가족의 희망이자 사랑이었던 큰언니가 죽었다고? 얼마 전 설 명절에 선물을 한 보따리 사 들고 와서 행복한 시간을 보냈던 우리 가족에게 대체 이게 무슨 일이지?' 정말 말이 나오지 않는 순간이었어요.

1993년 2월, 설 명절로 다녀간 지 얼마 되지 않은 짱이 큰언니는 막 20살이 된 해에 어이없게도 가족을 떠나게 돼요. 짱이 가족의 희망이었던 큰언니는 짱이가 초등학교 졸업식을 보낸 다음날 새벽, 전화벨을 통해 소식을 전했는데요. 짱이엄마의 울음소리가 들리고 이불속에 있던 짱이의 눈에도 눈물이 맺혀요. 짱이는 오랜 세월 그때의 순간에 갇혀 슬픔, 무기력이라는 정서로 살아가게 돼요. 이 사건은 짱이의 삶에서 해결하지 못한 '미해결과제'가 되는데요. 상담을 통해서 치유되는 듯했지만 여전히 무거운 미해결 과제였어요. 다행히 결혼을 하고, 출산을 하고, 아이를 키우면서 조금씩 치유하게 됩니다.

짱이는 이러지도 저러지도 못한 채 깊은 슬픔과 무기력, 우울감을 경험해요. 어쩌면 짱이 인생은 그 슬픔을 맞이하기 전과 후로 나뉠 만큼 큰 트라우마로 자리 잡게 되는데요. 슬픔이 너무 크다 보니 소화를 시키지 못하고 짱이 가족은 각자의 방식으로 슬픔을 표현하지 못한 채 깊은 골로 들어가 외롭게 살아가요. 짱이 또한 자기 잘못이 아니지만 자신을 혹독하게 대했고 가족을 있는 그대로 수용하지 못한 채 오랜 세월 아파하며 부정적인 삶을 살아가요.

짱이 큰언니는 상고에 다니다가 고3, 2학기에 서울에 있는 제약회사 총무과에 취업을 하게 되었고 당시 집을 얻어줄 형편이 안 돼 회사 기숙사에서 생활하게 되었어요. 언니는 취업한 지 얼마 되지 않아 추석 명절에 선물 한 보따리를 사서 고향에 내려왔고 짱이 가족은 너무나 행복했어요. 그리고 다음 설에도 짱이 언니는 가족들을 위해 선물을 한 꾸러미 사 들고 왔지요.

큰언니는 처음 경험하는 사회생활로 어려움이 있었다고 해요. 사랑과 인정이 넘치는 언니이기에 어디서도 이쁨 받으며 잘 해냈을 거라 생각하지만 언니는 룸메이트 언니가 자꾸 술을 먹자고 해서 고민을 했다고 해요. 취업한 지 얼마 안 돼 추석에 집에 온 언니는 엄마에게 이런 고민을 털어놨고 엄마는 절대 먹으면 안 된다는 이야기를 해줬다고 해요. (이건 언니가 죽은 후 엄마가 어른들과 나눈 이야기를 들었어요.) 굳게 마음을 먹고 서울로 간 언니는 안타깝게도 바로 이 술을 먹다가 심장마비로 어이없게 죽음을 맞이하게 되는데요. 한창 꽃다운 나이에 이 얼마나 애통하고 안타까운 죽음인가요? 언니는 보통 사람보다 심장이 약한 편이었다고 해요. 당시 언니의 룸메이트는 주식 같은 걸로 거액을 잃고 힘든 상황이었다고 하는데 한동안 짱이는 보지도 못한 그 룸메이트 언니가 꿈에 나오기도 하고 죽은 언니가 살아서 돌아오는 꿈을 꾸기도 해요.

또 하나 아쉬운 것은 부모님과 친척 어른들만 서울로 가서 장례를 치렀다는 겁니다. 남겨진 삼 남매는 그다지 서로 친하지 않았고 오롯이 큰언니 바라기들이었어요. 지금 생각하면 삼 남매도 장례식에 가서 마지막 가는 언니의 모습을 보고 통곡이라도 했더라면 좀 나았을 텐데 그러지 못했어요. 당시엔 너무나 큰 사건이었고 장례식에 따라가겠다는 이야기도 못 꺼냈죠.

장례를 치르고 온 부모님은 언니의 옷가지와 몇 가지 짐만 가지고 내려왔는데요. 지금도 언니의 짐에서 났던 섬유유연제 냄새가 생생히 기억나요. 짱이는 아무리 울어도 해소되지 않는 깊은 슬픔에 잠식되어 힘들게 살아가요. 누군가 이야기한 '살아도 사는 게 아니야.' 딱 그런 심정이었던 것 같아요. 하나님은 짊어질 수 있을 만큼의 고통을 준다고 하는데 짱이는 이 고통을 감당하기에 너무나 버거웠어요. 세상에서 가장 소중한 것을 잃은 슬픔이었기에 그 어떤 것으로도 해소가 되지 않았어요. 마음 여린 엄마, 술로 푸는 아빠의 마음에 부담을 드리면 안 된다는 생각에 삼 남매는 슬픔을 내색하지 못한 채 각자 슬픔을 등에 짊어지고 살아가요. 지금도 큰언니가 어디에 뿌려졌는지 몰라요.

슬픈 감정을 표출할 수 있는 어떤 자그마한 창구가 있었더라면 조금은 위로가 되고 스스로를 다독이는 힘을 얻었을 텐데 짱이 가족은 그러지 못했어요. 짱이 또한 단짝친구와도 슬픔을 나눌 수 없었어요. 물론 동네 친구들은 짱이 가족의 슬픔을 알고 있었지만 차마 건드릴 수가 없었죠. 너무나 큰 슬픔이고 아픔이었기에 이야기를 꺼내기조차 힘든 일이었죠. 짱이는 그렇게 아픈 마음을 안고 중학교에 들어가는데 수업 중에 갑자기 눈물을 흘리고, 한숨 쉬는 버릇이 생기고 인상 쓰는 습관이 생기게 돼요. 영문을 모르는 사람들은 '어린애가 인생 다 산 사람처럼 왜 그러냐? 무슨 애 한숨 소리가 세상 다 산 사람 같냐? 땅 꺼지겠다.' 라며 속 모르는 이야기를 하기도 했죠. 지금 생각하면 그때 상담실이라는 안전한 창구가 있었다면 그곳에서라도 원 없이 울고 위로를 받았을 텐데 하는 아쉬움이 있어요. 그렇게 깊은 슬픔을 묻어둔 채 그 어디에도 마음을 표현하지 못하고 중고등 시절을 우울하게 보냈어요.

중 · 고등 시절 짱이는 오롯이 자신을 괴롭히며 공부로 모든 걸 승화하려고 했어요. 하지만 머리가 딱히 좋은 것도 아니고 억누른 감정으로 공부를 하니 집중이 되는 것도 아니고 배움이라는 즐거움이 있는 것도 아닌 채 자신을 채찍질하기 급급했죠. 그러다 한참 대입 스트레스가 한창인 고3 5월, 담임 선생님께서 손금을 봐주신다며 호기심 많은 여고생들의 환심을 샀어요. 짱이도 신기해하며 손금을 봤죠. 선생님께서는 짱이에게 '집에 단명한 사람이 있냐?'라는 질문을 하셨는데 그때 짱이는 그동안 참아왔던 미해결 과제가 건드려지면서 오열을 했어요. 유치원 때부터 친구인 동네 단짝 친구가 후에 선생님께 짱이 집 이야기를 해 드렸는데 담임 선생님께서는 그 후 짱이에게 미안해하는 모습을 보이셨고 차마 언니에 대한 이야기는 꺼내지 못하셨어요. 짱이는 그날 이후 집착해 오던 공부에도 손을 놓고 짱이의 방황이 시작돼요.

3화. 또 한번의 시련

그런 짱이는 다행히 집안 형편을 고려해 국립대학에 들어가요. 엄마, 아빠도 처음 대학에 자식을 보내면서 자랑스러워하셨죠. 짱이는 원하는 교대, 사범대 대신 사회복지학과라는 생각지 못한 과에 입학하게 되는데요. 담임 선생님께서 짱이에게 어울릴 것 같다며 추천해 주셔서 별생각 없이 들어가게 돼요. 조금은 큰 세상에 가서 친구도 사귀고 대학이라는 문화를 접하면서 우물 안의 개구리라는 생각과 우울감을 안고 살아가지만 그래도 새로운 환경에 적응하며 대학 생활을 시작하던 중 또 한 번의 슬픈 소식을 듣게 되는데요. 바로 엄마가 쓰러지셨다는 소식이에요.

아빠는 짱이를 대학에 보내면서 무리하게 농사를 늘리셨고 언니의 죽음 이후 급격하게 몸이 약해진 엄마는 눈이 안 보이기 시작했고 고혈압이 생겨 그렇지 않아도 약한 사람이 더 약해진 상태였어요. 그 와중에 농사가 늘어나니 버거웠던 엄마는 농사일이 한창인 4월 중순, 뇌출혈로 쓰러지게 돼요. 짱이는 대학에 들어간 지 두 달 만에 휴학을 하고 엄마를 간호하니다. 엄마는 한쪽 몸을 쓰지 못하게 되면서 더 우울해하셨고 아빠는 벌려 놓은 농사일을 수습하느라 정신이 없었죠. 병원 생활을 마치고 집에서 지낸 엄마는 자신의 신세를 한탄했고 결국 추석이 지나고 가을걷이가 끝난 시점에 농약을 드시고 죽음을 선택하셔요. 엄마의 죽음 앞에서 짱이는 또 한 번의 시련과 무기력을 경험하는데요. 슬픈데 눈물이 나오지 않고 엄마의 장례식이 마치 연극 같기도 해요. 동네 어른들은 엄마가 '오죽하면 그런 선택을 하셨겠냐'며 위로를 해 주시지만 엄마가 얼마나 여린 사람인지 알기에 그런 분이 자살을 선택하셨다는 게 더 큰 아픔으로 다가와요. 그런데 짱이는 언니의 죽음 이후 감정을 꽁꽁 싸매고 살아와서 그런지 엄마의 죽음 앞에서 슬픔이라는 감정보다는 그냥 무기력의 감정이 더 크게 다가왔어요.

하지만 생각보다 엄마의 빈자리는 컸어요. 아빠밖에 모르던 엄마가 죽자 누구보다 아빠가 엄마의 빈자리를 많이 느끼셨어요. 남동생도 엄마가 돌아가셨을 때 자신도 곧 죽을 줄 알았다며 심적으로 엄마에게 밀착되었던 삶을 회상했어요. 그만큼 엄마는 자식보다는 남편, 자식 중에는 아들을 너무나 사랑하셨죠.

4화. 럭비공처럼 불안한 삶

짱이는 두 번의 시련을 겪고 마음이 무겁지만 자신보다 더 힘든 아빠를 생각해 최선을 다하려고 노력해요. 짱이는 엄마가 돌아가시고 다음 해에 복학해서 다시 대학 생활을 시작해요. 좋은 친구도 사귀고 집단상담도 경험하고 학교생활연구소를 통해 개인상담도 받아요. 봉사활동도 하면서 치유의 시간을 갖기도 해요. 하지만 풀리지 않는 무거운 돌덩어리가 늘 마음속에 있어서인지 자신의 마음을 온전히 내놓기가 어렵고 우울감을 안은 채 당당하지 못한 삶을 살아가요. 무엇인가 찾아 헤매지만 매번 찾지 못하고 잡념 속에서 버티는 삶이 익숙해진 삶을 살아가요.

짱이는 4년의 대학 생활을 마치고 서울에서 직장생활을 시작하게 되는데요. 무엇이든지 열심히 하는 짱이의 첫 직장생활은 괜찮았어요. 인간적인 직장 분위기가 좋았고 마음 맞는 동료가 있어서 적응하며 잘 다닐 수 있었죠. 짱이는 사람들과의 관계에서 적절한 경계를 유지하는 것이 부족했다는 것을 나중에 알게 되어요. 마음이 맞고 좋은 사람이면 밀착이 되어야 그 안에서 안정감을 느꼈던 거죠. 그리고 관계를 정리하는 걸 못한다는 걸 알게 돼요. 그래서 짱이는 늘 반쪽을 그리워하고 애타게 찾아 헤매지만 만날 수가 없었어요. 자신과 가족을 인정하지 못하고 오픈하는 것도 어렵다 보니 피상적인 만남으로 끝났고 늘 짝사랑에서 더 이상 진전하지 못하는 사랑을 해요. 결혼이라는 환상 속에서 남자를 만나니 편안한 만남이 되지도 않고 진솔한 만남을 갖지도 못했죠.

친하게 지내던 동료들이 퇴사를 하면서 짱이도 2년의 직장생활을 마치고 퇴사를 해요. 그리고 운이 좋게도 1개월 만에 두 번째 직장을 얻게 되어요. 하지만 두 번째 직장에서 많은 시련을 겪어요.

두 번째 직장은 짱이가 어릴 때부터 그토록 원했던 교사 일을 하게 되는데요. 사회복지사지만 대안학교 교사 업무여서 부푼 기대로 입사를 하지만 상처투성이인 짱이가 감당하기에는 너무나 힘든 곳이었어요. 막연한 이상만을 좇아간 그곳은 상처투성이들이 모인 소굴 같았어요.

중학생인 아이들은 저마다의 사연으로 정규학교가 아닌 대안학교를 다니게 되는데요. 어디로 튈지 모르는 불안한 모습과 부정적인 자아상으로 똘똘 뭉친 아이들의 모습은 마치 짱이 자신을 보는 것 같기도 했어요. 그런 아이들을 사랑으로 따뜻하게 보살피면 될 거라는 짱이의 생각은 오만이고 착각이었죠. 물론 그 안에서 배운 것도 많고 추억도 있지만 정말 많이 아팠던 3년이었어요. 중간에 그만둘 수도 있었지만 그때도 짱이는 그 끈을 놓지 못하고 끝까지 부여잡았어요.

그 후 업무 변경으로 장애아동을 케어하는 일을 하게 되는데요. 짱이는 장애 관련 특별히 관심이나 애정이 없었기에 부담이 되었지만 장애아동 업무를 맡은 첫날 순수하고 해맑은 아이들이 가슴 안으로 안기는 모습에서 온기를 느끼며 조금은 상처를 치유받아요. 장애아동 케어를 하며 따뜻한 봉사자들을 만나고 장애 자녀를 통해 한층 성숙해진 부모님들을 만나면서 짱이도 함께 조금씩 안정을 찾는 듯했지만 늘 마음 한 곳은 불안하고 우울했어요. 늘 공허하고 마음 깊이 나눌 누군가가 없다 보니 안정감을 갖지 못했죠. 그러던 중 연차가 쌓여 승진을 해야 하지만 자신을 드러내지 않는데 익숙한 짱이는 조직에서 원하는 관리자의 모습이 아니었기에 왠지 퇴사를 해야 할 것 같은 막다른 골목에 몰린 기분을 느껴요. 퇴사를 고민하고 다른 대안을 찾았지만 뭐 하나 온전한 계획이 없다 보니 직장을 내려놓지 못하고 또 한 번 버티는 삶을 살아가요.

지금 생각해보면 짱이에게는 '직장' 마저 놓게 되면 자신의 인생은 아무것도 남는 게 없다고 느꼈던 것 같아요. 그나마 직장이라도 다녀야 그곳에서 역할을 찾을 수 있으니까요. 역할로만 살아온 짱이에게 직장은 중요했어요. 힘들지만 정리하지 못하고 끝까지 부여잡는 삶이 익숙한 짱이는 버티는 직장생활로 이후 팀장이 되고 새로운 과업과 업무로 환기가 되면서 또 한번 열심히 최선을 다하며 살아가요.

그러던 중 짱이 아빠가 폐암 진단을 받게 되는데요. 짱이의 삶에 든든한 나무 같았던 아빠는 길어야 1년 정도 살 거라는 진단을 받게 됩니다. 짱이는 또 한 번 있는 힘을 다해 아빠를 케어하고 여행도 다니며 맛있는 음식도 사드리면서 나름의 최선을 다해요. 평소 신세 지는 걸 싫어하셨던 아빠는 진단 후 딱 1년 3개월 만에 돌아가시게 되어요.

아빠의 장례식도 무덤덤하게 치르게 되는데요. 짱이에게 아빠라는 존재는 나무 같은 분이었기에 또 한번 빈자리를 느끼며 부모가 없는 첫 명절이 너무나 아프게 다가왔고 '고아'라고 생각하니 자기연민과 슬픔이 몰려오기도 하고 아빠의 삶이 너무나 애통하기도 해요.

짱이아빠는 형제들이 50이 되기 전 단명해 자신은 60만 넘어도 오래 사는 거라는 이야기를 가끔 하셨는데요. 그만큼 가족과 삶에 대한 애정이 깊었던 분이었기에 단명한 형제, 자매들에 대한 원통함이 늘 있으셨던 것 같아요.

5화. 새로운 가족

짱이는 그렇게 아빠까지 보내고 다음 해 2월에 지인의 소개로 지금의 남편을 만나 그 해 12월에 결혼을 해요. 결혼식을 준비하면서 또 한 번 부모님의 빈자리와 원가족 안에서의 슬픔을 느끼지만 가족이 그립고 어딘가에 소속되고 싶었던 짱이는 결혼식도 씩씩하게 해냅니다.

감정이 온전하지 않고 표현도 서툴다 보니 남편과의 연애 과정도 쉽지는 않았어요. 짱이는 자신에 대한 부정적인 자아상이 깊고 불안이 높다 보니 최악의 상황을 늘 상상하는 습관이 있었어요. 그런 상태로 연애를 한다는 게 반쪽연애 같은 모습이지 않았나 싶어요.

남편은 3년 반 전에 소개를 받았던 사람이에요. 남편을 처음 본 순간, 이 사람은 나를 버리지 않을 거라는 신뢰가 가는 사람이었어요. 하지만 직업(능력)이 성에 차지 않아 미안한 마음으로 남편의 마음을 받아주지 못하고 이별을 했어요.

그 이후에도 둘 다 짝꿍을 만나지 못하고 있어서 지인(남편의 사촌동생, 짱이의 직장동료)이 또 한 번 만남을 주선했고, 당시 미안한 마음으로 정리를 했기에 다시 만난다는 건 잘해보고 싶을 때 만나야 할 것 같아 거절했지만 지인은 그냥 편하게 생각하라며 데이트를 권했어요.

남편의 모습은 여전했고 믿음이 가는 사람이었기에 다시 만나 데이트를 하고는 배우자로 마음을 정했어요. 직장생활로 지쳐 있는 짱이에게 결혼을 전제로 하는 남편과의 데이트는 안정적이고 편안했어요. 그러면서도 늘 불안한 마음에 이상한 상상을 하기도 했지만 역시나 남편은 한결같은 모습으로 짱이만을 바라보는 사람이었고 짱이와 다르게 우울하지 않아 좋았어요.

다행히 결혼 6개월 만에 짱이는 임신을 하게 되는데요. 임신해 있는 동안 짱이는 정말 오랜만에 심리적 안정감을 느끼며 행복해합니다. 그리고 임신을 했지만 입덧이 있는 것도 아니고 몸도 어찌나 가벼운지 임산부 같지 않은 편안함과 안정감 속에서 지내게 되어요. 그리고 출산을 통해 직장생활 13년 만에 처음으로 공식적인 휴식시간을 갖게 됩니다. 짱이는 처음으로 불안해하지 않고 1년이라는 시간을 허락받고 쉴 수 있다는 것에 감사하며 그토록 바랬던 온전한 쉼을 통해 충전을 해요.

감정표현이 서툴고 뭐 하나 온전치 않은 짱이는 자신에 대한 연민과 부정적인 사고로 인해 새로운 가족 안에서 불편감과 화남이 올라와도 표현을 잘하지 못해요. 그때 짱이는 온라인 맘 카페를 통해 엄마들과 소통하면서 조금은 위로도 받고 다른 사람들의 글을 통해 '나만 그런 게 아니구나.'라는 동질감과 소속감을 느끼며 수시로 불특정 다수의 글로 위로를 받으며 결혼생활을 이어가요.

6화. 시련의 연속

쉼 이후 복직을 하면서 또 한 번 짱이의 삶에 시련이 찾아오는데요. 복직한 지 두 달 만에 관리자는 짱이에게 업무 변경을 요청해요. 짱이의 의사를 묻는다고는 했지만 지시였고 팀장직을 내려놓는 상황이었어요. 짱이는 이러지도 저러지도 못하는 상황에서 힘들어하다 결국 수용하게 되고 그때부터 직장생활은 힘들어져요. 원치 않는 것을 어쩔 수 없이 수용하고 나니 직장생활이 온전할 수가 없었죠. 퇴사를 생각하면서도 억울한 마음이 들었고 당시에는 멘붕이 되어 퇴사를 결정할 힘조차도 없이 그 상황을 계속 이어갔어요.

그때의 힘듦을 돌아보니 그래도 그때를 버틸 수 있었던 건 짱이 주변에 좋은 사람들이 많이 있었다는 거예요. 혼자서 그 힘듦을 떠안고 있었다면 정말 무겁고 힘들었겠지만 속 마음을 털어놓을 수 있는 동료, 친구가 있었어요. 묵묵히 짱이의 이야기를 들어주고 짱이 편이 되어 주는 그들이 있었기에 조금은 위로받고 견딜 수 있지 않았을까 해요.

또 하나는 새로운 가족, 특히 딸이라는 존재가 그 힘든 시간을 버틸 수 있게 해 주었는데요. 기가 막히는 타이밍에 영상전화를 걸어서 '엄마, 엄마' 하는데 마음이 매어지는 경험을 했어요. 감정을 주체하지 못하고 화를 삭이는 순간에 15개월 된 아이는 엄마를 불러주었고 자기가 있으니까 너무 힘들어하지 말라고 이야기해주는 것 같았어요.

그렇게 짱이의 복직 이후 직장생활은 말 그대로 멘붕이었지만 코로나19가 오면서 모든 것이 잠시 멈춤을 할 수 있는 상황이 되었고 짱이도 그 시간을 견디며 1년을 견디다 결국 퇴사를 하게 되어요. 그렇게 두 번째 직장은 14년 8개월 만에 마무리를 짓게 됩니다.

끝을 맺는다는 게 짱이에게는 왜 이렇게 어려운 일인지 잠시 생각해 봅니다. 한번 맺은 인연이 오래갑니다. 물건도 잘 버리지 못합니다. 늘 마음 한편에 그리운 마음이 있어서 누군가를 그리워합니다. 짱이는 자신에게 왜 이런 정서가 강한지 또 한 번 생각해 보게 됩니다.

7화. 일상의 행복 찾기

육아휴직 때와는 다른 느낌의 휴식기를 보내게 된 짱이는 블로그를 시작해요. 일상에서의 소소한 행복을 글과 사진으로 남기기 위해서요. 처음에는 글을 쓴다는 게 어찌나 어색하고 불편한지 한 줄을 쓰는 것도 어려웠어요. 주로 아이의 일상과 모습만 남기게 되는데 나중에 글을 쓰려고 보니 결국 글이라는 건 진솔할 수밖에 없고 자신에게 가장 간절한 것들을 써 내려갈 수밖에 없더라고요. 그래서 짱이는 일상의 글을 쓰면서 자신의 원가족, 미해결과제 등에 대해 잠깐 잠깐씩 감정 일기를 쓰면서 글을 통해 응어리진 감정을 해소하는 경험을 하게 돼요. 그리고 블로그라는 온라인 세상을 통해 다양한 사람들과 이웃이 되고 댓글을 통해 서로의 글에 공감하는 과정을 경험하면서 결이 비슷한 사람들과의 소통의 맛을 느껴요. 일상의 경험을 참 찰지고 재미있게 쓴 글을 보면서 우울한 짱이의 글과 비교가 되기도 해요. 결국 짱이는 글을 쓰면서 자신에게 무엇이 필요한 지 깨닫게 되는데요. 그것은 바로 '스스로를 사랑하는 것'이었어요. 책과 글을 통해 공감과 위로를 많이 받게 되는데요. 글을 쓰면서 짱이의 삶의 키워드가 바로 자기 치유라는 것을 알게 됩니다.

책과 글을 통해 조금은 위로받고 부정적인 일들도 글을 쓰면서 해소되는 경험을 합니다. 그러면서 조금씩 긍정의 에너지가 채워지고 미처 깨닫지 못했던 자신의 본모습을 찾아가요. '그래, 짱이야, 너는 원래 부정적인 사람은 아니었어. 오히려 낙천적인 스타일이지. 위트는 없지만 나름의 행복과 즐거움이 있는 사람이야. 감정도 풍부하고. 누군가를 돕고자 하는 선한 마음도 풍부하고. 어느 순간 모든 것들이 다 막혀서 힘들게 살아온 거야.' 그렇게 짱이 자신을 스스로 인정해 주고 다독여 주다 보니 마음이 한결 가벼워지는 경험을 하게 돼요. 그러면서 일상의 행복도 더 찾게 되고요. 사진을 찍기 시작하고 그냥 지나치기 쉬운 돌, 나무, 들풀, 꽃 등의 모습도 사진으로 담아요. 그런 일상의 변화가 행복으로 이어지게 돼요.

그리고 미뤄뒀던 상담사 공부를 시작해요. 상담사 공부를 통해 또 한 번 내면의 상처를 드러내고 아파하면서 조금은 성장해가요. 또 강하게 뿌리 박혀 있던 부정적인 사고에서 조금씩 벗어나요. 앞만 보며 조급하게 살아온 인생을 되돌아보고 자신에 대해서도 조금은 여유를 갖게 됩니다. 아이와의 일상을 통해 추억을 쌓아가요.

'멈추면 비로소 보이는 것들' 이 책이 한참 유명세를 탈 때 무엇을 이야기하려는지 알지만 당시에는 멈추고 싶지 않았어요. 거기서 멈추면 더 우울해질 것 같았거든요. 하지만 퇴사 후 1년간의 휴식은 이 책 제목 그대로 모든 걸 내려놓으니 마음이 편해지고 보이지 않았던 일상의 소소한 행복들이 조금씩 내 마음에 와닿았어요. 당시 4살이었던 딸과의 일상은 말로 표현할 수 없는 행복감을 주었죠.

짱이는 1년간의 휴식기를 마치고 집 근처에서 다시 일을 시작해요. 지금까지의 모든 경력을 내려놓고 신입의 마음으로 계약직 일을 선택하는데요. 처음에는 내키지 않아 마음이 불편하고 현재의 처지에 대해 우울한 마음도 들고 주변의 시선이 불편하기도 해요. 하지만 스스로 마음을 다독이고 좋아하는 일을 한다는 것과 직책이 없으니 조금은 편안한 마음으로 일할 수 있다는 것으로 위안 삼으며 조금씩 적응해 갑니다.

8화. 지금이 행복

짱이는 지금이 행복합니다. 큰언니의 사망 전 온 가족이 함께였을 때 경험했던 행복의 감정을 요즘 딸과의 관계에서 느끼고 있습니다. 여전히 잠을 푹 자지 못하고 무수한 꿈을 꾸지만 달라진 점은 현재의 꿈도 가끔 꾼다는 것입니다. 과거 속 이야기가 주를 이루지만 가끔은 현재 만들어진 새로운 가족들에 대한 꿈을 꾸기도 합니다. 그럴 땐 지금을 살고 있다는 생각에 편안함을 느끼기도 합니다.

짱이는 지금 하는 일이 좋습니다. 다양한 사람들을 만나고 그들의 이야기를 묵묵히 듣는 것, 그들에게 무엇인가 도움이 되는 것 자체로 성취감을 느낍니다. 어려움에 처한 이와의 첫 만남, 그 만남 이후 그의 속 깊은 인생 스토리를 들으며 조금씩 그를 알아가는 과정이 흥미롭습니다. 그가 현재 힘들 수밖에 없는 상황이 너무나 공감이 됩니다. 그들은 자신의 이야기를 들어주는 누군가가 생긴 것 자체에 의미를 갖습니다. 정리되지 않은 이야기를 두서없이 쏟아내는 모습에서 짱이는 자신의 모습을 보기도 하고, 당장이라도 죽었으면 좋겠다는 이야기를 털어놓는 그녀의 모습에 깊은 애정이 생기기도 합니다.

과거의 짱이는 마음이 앞서서 자신과 타인의 일을 분리하지 못하고 그들의 불안과 우울, 슬픔에 압도되어 늘 마음이 무거웠지만 지금의 짱이는 조금은 내면이 단단해져 자신과 타인의 일을 분리할 수 있는 힘이 생겼습니다. 그래서 지금은 대안학교 업무를 할 때처럼 삶의 벼랑 끝에 있는 이들을 만나는 상황은 비슷하지만 그들을 따뜻하게 위로하고 마음으로 함께할 수 있는 여유가 생겼습니다. 짱이 자신의 마음을 먼저 돌볼 수 있는 힘이 생겨서 그들과 함께하는 지금의 일이 버겁지 않고 기꺼이, 감사한 마음으로 일을 해 나갈 수 있습니다. 짱이는 그렇게 '운디드 힐러' 상처 입은 치유자가 되어가고 있습니다.

새로운 도전과 과업을 좋아하는 짱이는 이번 글쓰기를 통해 또 한 번 자신의 상처를 드러내면서 치유할 수 있는 시간을 가집니다. 많이 아팠던 짱이가 이 글을 통해 치유받기를 기대해 봅니다. 아마도 짱이는 이 글을 통해 마음속 깊이 꽁꽁 묶어 두었던 상처와 마주할 수 있는 내면의 힘을 키울 수 있게 되었을 것입니다. 운디드 힐러로 성장해 갈 짱이의 모습이 기대됩니다.

9화. 육아를 통한 치유과정, 재양육

짱이는 신랑과 연애를 할 때 '나는 엄마가 될 자신이 없다.'라는 말을 한 적이 있는데요. 자신에 대한 부정적인 생각이 강하다 보니 엄마가 되는 것에 대해 엄두가 나지 않았어요. 이런 말을 했던 짱이는 임신을 했을 때 세상에서 가장 행복한 임산부가 되어 있었고 출산을 통해 엄마가 되면서 세상을 다 얻은 것 같은 기쁨을 경험합니다.

아이를 양육하는 과정에서 치유를 경험하고 매일매일 아이를 통해 새로운 것을 배우고 느끼며 행복한 시간을 보냅니다. 물론 육아로 인한 힘듦도 있지만 아이가 주는 행복은 이루 다 말과 글로 표현이 되지 않아요.

짱이는 아이를 통해 결핍되었던 어릴 적 짱이의 모습을 마주하게 되고 그때로 돌아가 짱이의 마음을 어루만져 줍니다. 아이의 모습을 통해서 그 시기에 결핍되었던 것들을 채워갑니다.

아이를 양육하면서 짱이 자신을 재양육하는 경험을 합니다. 이 과정이 치유로 다가옵니다.

멀게만 느껴졌던 행복의 기운이, 긍정의 힘이 서서히 짱이에게도 스며옵니다.

이런 위대한 변화는 오롯이 아이만이 할 수 있는 능력입니다.

아이가 보이는 매일 아침의 해맑은 미소와 웃음,

모든 상황에서 즐거움과 재미 요소를 찾는 아이의 모습에서 '이것이 인간의 본성이다.'라는 생각을 해봅니다. 각자 처한 상황과 어려움으로 인해 어른이 된 이들은 무거운 짐을 어깨에 짊어지고 살아가지만 가끔은 동심으로 돌아가 행복했던 기억들을 상기하고 자신에게 즐거움을 주는 요소들을 찾는 것도 필요합니다. 짱이는 매사 진지했던 자신의 모습에서 즐거움이나 재미 따위는 없이 살아왔지만 요즘은 즐거움의 요소를 찾기 위한 시도를 합니다.

이 또한 위대한 변화이고 이 변화는 아이를 통해 얻게 된 것들이기에 아이에게 늘 감사의 마음을 갖습니다.

10화. 치유를 위한 버킷리스트

짱이는 짱이와 같은 삶의 무게를 짊어지고 살아가는 언니, 동생과 함께 치유의 시간을 가질 또 하나의 계획을 생각해 봅니다.

첫 번째는 '큰언니'

큰언니의 단짝 친구인 명례언니와 함께 여행을 떠나는 것입니다. 여행을 통해 큰언니에 대해 못했던 이야기를 나누고 슬픔을 함께하려고 합니다. 그동안 응어리졌던 감정을 해소할 수 있는 시간이 될 거라 생각합니다.

두 번째는 '엄마'

어릴 때부터 함께했던 외사촌인 미선언니와 함께 여행을 떠나는 것입니다. 여행을 통해 엄마와 함께했던 추억을 나누고 이야기함으로써 엄마를 그리워하는 시간을 충분히 갖고 싶습니다.

세 번째는 '아빠'

아빠는 조카들을 끔찍이 아끼셨는데 유독 아빠를 친아빠처럼 따르고 좋아한 큰집의 셋째 오빠인 용주오빠와 함께 여행을 떠나는 것입니다. 이 여행은 아빠를 만나고 오는 여행이라는 테마로 아빠와 함께했던 추억을 함께 나누고 이야기함으로써 아빠를 그리워하는 시간을 갖고 싶습니다.

짱이만의 계획이라 언제 실천으로 이어질지 모르지만 언니, 동생과 꼭 치유의 여행을 떠나고 싶습니다. 충분한 애도의 시간을 갖고 함께 슬픔을 나눈다면 치유를 통해 한층 더 성장하는 기회가 될 거라 생각합니다. 짱이 가족은 오랫동안 슬픔을 싸매고 살아왔기에 지금부터라도 애도의 시간을 통해 충분히 치유받고 현재의 삶을 온전히 느끼며 살아가기를 희망해 봅니다.

짱이는 자신과 자신의 가족이 온전치 못하다는 부정적인 생각에 사로잡혀 힘들게 살아왔지만 돌아보면 아빠, 엄마가 가정을 이루고 큰언니를 낳았을 때 얼마나 행복해하셨을지가 그려집니다.

마음이 여리고 따뜻했던 짱이의 부모님 삶이 큰언니의 갑작스러운 죽음으로 인해 슬프고 힘들 거라고만 생각했지만 그동안 보지 못했던 이면을 보니 행복과 기쁨도 함께였던 삶일 거라는 생각이 들었습니다.

그리고 어느덧 큰언니 역할을 하고 있는 둘째 언니는 맏이로서 자신의 부족함에 늘 동생들에게 미안해했지만 어느새 맏이로서 어엿한 역할을 해주고 있습니다. 짱이는 그런 언니에게 늘 고마운 마음입니다.

남동생을 늘 문제아로 인식했던 짱이는 이제 동생을 따뜻한 시선으로 바라볼 수 있게 되었습니다. 동생이 자신만의 치유과정을 통해 편안하고 행복한 삶을 살기를 응원합니다.

이제 6살이 된 딸아이는 짱이에게 가장 친한 친구가 되었습니다.

외할머니, 외할아버지가 안 계시는 딸아이는

“엄마~ 우주는 하나야. 너무 슬퍼하지 마. 외할머니, 외할아버지는 별이 되어서 하늘에서 엄마를 지켜보고 계실 거야.” 라며 엄마인 짱이를 위로하기도 합니다.

‘운디드 힐러’로 거듭날 수 있었던 것은 딸아이 덕분입니다. 짱이는 자신의 상처를 치유함으로써 더 큰 힘을 가진 ‘운디드 힐러’로 다시 태어나게 되었습니다.

메리골드 마음 세탁소 소설책의 주인공처럼 상처를 치유하는 온화하고 따뜻한 사회복지사로 거듭나는 짱이가 되기를 기대하며 이 글을 마칩니다.

에필로그

비로소 글쓰기 숲치유 프로젝트를 통해
진정한 나를 만나는 행복한 길로 나아가고 있다.

나의 고유함을 찾아가고 있는 여정이 된 이번 글쓰기는
미해결과제인 나의 원가족을 다시 만나게 했다.
끈끈하고 단단한 결속력을 가졌던 그들을 인정하게 했다.
마침내 따뜻한 시선으로 그들을 바라볼 수 있는 힘이 생겼다.

나를 긍정의 눈으로 바라볼 수 있게 된 것은
온전히 우리 아이 덕분이다.
아이가 주는 깨우침을 통해 나를 있는 그대로 인정할 수 있게 되었다.

아이가 주는 깨우침은 셀 수 없이 많다.
우선 아이는 자신을 금이야, 옥이야 소중히 여긴다.
그리고 자신의 감정과 자신의 몸을 소중히 한다.

당연시했던 많은 것들을 소중히 대하고 감사해한다.
가족과 이웃, 친구, 타인, 자연, 무생물체인 모든 존재를 소중히 한다.

뭐든 부족하다고 생각했던 엄마에게 아이는
엄마를 존재 자체로 인정해주고 사랑의 언어를 온몸으로 표현한다.

뿌연 안갯속처럼 답답했던 내 머릿속이 조금은 정리가 되어가고 있다.
내려놓지 못했던 것들을 조금씩 내려놓게 되었다.

불안으로 뒤엉켰던 내 마음과 몸에는 어느새
따뜻한 체온이 흐르고 편안함과 안정감의 에너지가 들어오고 있다.

쌓아두었던 감정을 글로 토해냄으로써
비로소 자유로워지고 있다.

조금씩 온전해지고 있다.
편안해지고 있다.

나에게 보내는 자비로운 한 마디

자연속으로 "퐁덩" 잃어버린 FC를 찾아서

이희선

초록빛 인생

글 · 씀 · 숲 · 쉼

모든 것이 당연하다고만 생각했다.
당연한 줄 알았던 것들이 결코 당연한 것이 아니었음을 알아차리기까지의 여정을 담고 싶었나보다. 적당한 습도와 햇살로 생존하는 것에 대한 이야기이다. 마치 이끼처럼.

오랜 시간 내 마음속에 품고 있던 것이 이렇게 소중한지 새삼 깨닫는 여정 속에는 강력한 무언가는 없을지도 모른다. 망망대해 같은 삶 한가운데서 표류했던 날들, 폭풍우에 휩쓸리기도 했던 날들, 자욱한 안개 속에서 어디로 가는지도 모르고 마냥 노를 저었던 날들. 돌아보니 매 순간마다 필사적으로 살고자 했던 것임을 알아차린다.

흐르는 대로 주어진 대로 자유롭게 유영流泳하듯 살아야 할지, 그토록 갈망하던 작은 돛단배 하나에 의지해 새로운 곳을 향해 나아갈지 기로에서 이번 프로젝트를 만나게 되었다.

글을 쓰거나 숲에서 보내는 시간은 우리 스스로를 하여금 안위安慰할 수 있게 해준다.

잊고 싶어도 잊히지 않는 장면을 반추하다 보면 어느새 불안과 걱정이 더해지곤 하는데, 그럴 땐 글을 씀으로, 숲에서 쉼으로 해소할 수가 있다.

좋았던 기억들을 글로 남기면 언제든 그때의 추억들이 되살아나기도 한다. 마치 숲길을 걸으며 문득 스치는 아름다운 풍경처럼.

나를 포함 6명이 참가하는 이번 프로젝트를 통해 만들어질 한 권의 책이 마치 하나의 숲 같이 느껴진다. 각자에게 주어진 A4용지 기준, 15페이지의 분량이 어떤 모습일지 궁금하다.

그 중 나의 이야기는 싱그러운 이끼터널 같은 초록빛 인생이 담겨있으면 한다. 그러기 위해 오랜 시간 내 영혼을 감싸고 있던 잿빛동굴에서 천천히 빠져 나오는 시간이 필요했다.

다른 참가자 분들의 글은 크고 작은 나무 같은 존재도 있을 테고 흐드러진 넝쿨도 역경을 견디고 피어난 꽃도 나비도 존재할 것 같다. 이렇듯 다채로운 숲 속 생명들이 한데 모여 한 권의 숲이 만들어지고 여기에 한 줄기 햇빛 같은 존재, 당신이 스미기를 희망한다.

힐링이 필요해

언제부턴가 '힐링'이란 말이 유행처럼 퍼지고 이젠 일상에서 수시로 접하는 더는 낯설지 않은 말이 되었다. 이전에 한국인이 가장 자주 쓰는 외래어 1위가 '스트레스'라고 들은 적이 있는데 이제는 스트레스 해소를 위한 방법을 '힐링'이라고 인식하는지 일상에서 스트레스와 거의 동급으로 나 역시 자주 말하고 듣고 있다.

나는 11년 전 2012년도 아티스트 로이킴의 '힐링이 필요해' 라는 노래를 통해서 힐링이란 단어를 접하게 되었다. 그 시절 나의 즐겨듣기 노래였는데, 당시 2년여 운영하던 꽃집을 정리할 수밖에 없었던 시간을 보내고 있었다.

심적으로도 물적으로도 에너지 소진을 다해 모든 자원이 고갈된 상태 이른바 '번아웃' 되어 더 이상 가게운영이 불가한 상태에 이르렀고 폐업 수순을 거치며 임대인과의 불합리한 약정으로 권리금도 제대로 받지 못한 채 다음 양도자에게 넘기고 나오게 된 상황이었다.

애써 공들여 운영하던 꽃집을 마치 죽 쒀서 개 준 꼴이랄까. 세상물정 하나 모르고 그럴듯한 열정이란 이름으로 포장된 욕망

하나로 덤벼들었던 나는, 산전수전 공중전까지 다 겪으며 자수성가한 방배동 유명인사 스크루지 영감을 내 인생의 스승이었다고 애써 위로하곤 했지만 오랜 시간 마음의 병을 앓았다. 영혼의 상처는 물론 금전적 손해까지… 아직까지도 울컥하는 건 안 비밀.

소위 말하는 영끌, 영혼까지 끌어다 쓴 빚을 청산하는데 까지 적지 않은 시간이 걸렸고 내가 싸놓은 똥을 말끔하게 싹 치웠기에 지금 이렇게 이 자리에서 글을 쓸 수 있는 것이다.

좀 더 예쁘게 말하자면 그때의 역경이 밑거름이 되어 지금 한창 치유의 꽃을 피우고 있는 것이리라. 지난한 세월이 스친다.

꽃집을 정리하면서 번아웃을 운운했지만 사실 난 그 이전부터 어쩌면 치유가 필요한 사람이었고 꽃집은 하나의 터닝포인트가 되어 준 것이다. 꽃집이름은 '로이의 꽃놀이 작업실'이었고 '로이'는 'Revolution of you'의 약자이다. 한 송이의 꽃으로 내 삶의 변화가 시작되었듯, 누군가에게 전하는 꽃 한 송이에도 심오한 의미를 부여하고 신성한 영혼을 듬뿍 실어 보냈던 시간들. 그러다 어느 날 영혼이 탕진되는 경험을 한다.

2호선 전철, 당산역에서 탑승하고 방배역에서 내려 꽃집으로 향하는 일상의 루틴이 깨져버리고 마치 가야할 곳, 돌아갈 곳이 없는 사람마냥 하루 종일 외선순환열차에 몸을 싣고 잠들어버리고 깨어나 다시 잠들기를 반복했다. 무기력한 채로 둥둥 떠다니는 마치 썩은 수초 같은 사람이 돼버렸다.

다시 일어나야만 했다. 넘어진 마음을 간신히 일으키자 또 넘어지고 다시 일어나기를 반복.

'넘어져도 괜찮아, 다시 일어나면 되잖아' 되뇌며 소 잃고 외양간 고치는 마음으로 지내왔던 시간. 마음속 빈 화분을 간직하며 견뎌낸 지난날의 값비싼 경험들은 내안에 은은한 생명력으로 존재하여 치유에너지를 부여하고 스스로 회복의 길을 안내하는 '힐링 디자이너'의 삶을 살아가도록 해 주었다.

언제든 크고 작은 마음의 위기는 앞으로도 찾아올 수 있고 그만큼 치유의 기회도 다시 찾아올 것이라 믿는 마음으로.

ps. '힐링 디자이너'에 대해

자기를 표현하는 사람을 디자이너라고 생각하는데 나를 돌아보고 나를 찾는 과정 중에 치유와 변화를 이루어 건강한 자아상을 디자인, 리모델링한다는 맥락에서 스스로 만들어 본 나의 별칭이다. 그동안 치유의 경험을 바탕으로 지속 가능한 치유에너지를 많은 사람과 함께 나눌 수 있는 '실재가 있는 힐링 디자인'을 하는 사람으로 살아가고자 하는 마음을 담았다.

애도하기

느닷없이 빼앗기고 잃어버린 것에 대한 이야기이기도 하다.

8세 이전 어렸던 때로 돌아간다. 초등학교 들어가지 전까지 할머니댁에서 많은 시간을 보냈다. 연년생의 동생이 있어 엄마가 일까지 하면서 두 딸을 돌보기에는 힘에 부쳐 나를 자주 할머니댁에 맡기곤 했다. 나도 어렸지만 나보다 더 어린동생은 엄마 껌딱지에 엄마 떨어지면 큰일 나는 줄 알았다.

할머니댁은 앞에도 산, 뒤에도 산이 있고 그 가운데 몇 채의 가옥과 논밭, 개울이 있는 전형적인 시골마을이었다. 여러 마리의 소들과 수십 마리의 돼지들이 있었고 풀냄새, 거름냄새, 복숭아의 달콤한 향기, 고소한 옥수수맛 다양하게 어울려 있었다.

할머니댁에는 할머니 할아버지 그리고 증조할머니도 계셨다. 마당에 있는 풀과 꽃들로 소꿉놀이를 하면 언제나 증조할머니께서 갑자기 등장하여 굿 질을 한다며 내가 만들어 놓은 장식마다다 걷어가 밭에다 휙 내다버리곤 하셨다.

동네에 '홍기'라고 하는 그때 나의 단짝, 유일한 소꿉친구가 있었는데 오랜 시간 내안에 존재하며 소울메이트 역할을 하고 있었다는 것을 이번에 글감 소재를 탐색하면서 알아차리게 되었다. 나와는 성별이 다른 남아였고 나이는 나보다 5-6살 정도 많았지만 체구도 또래에 비해 작고 지적장애가 있는 친구였다. 아무도 나한테 '흥기오빠' 라고 불러야지 왜 흥기-흥기 하냐며 꾸중하는 어른이 없었고 나도 왜 그랬는지 오빠라는 인식이 없이 동네에서 바보라 놀림 받는 흥기를 마치 쫄병 부리듯 하며 놀아준다는 유세를 부렸다. 그러면 흥기어머니는 그래도 이 집에 오면 희선이가 흥기와 놀아준다며 고맙다는 식으로 말씀하시면 난 어린마음에도 뭔가 우쭐했던 것이 어렴풋이 기억난다.

주로 흥기와 들에서 볏짚 태우며 불장난하기, 흥기네 집에 갓난 새끼 강아지를 목욕시킨다고 비눗물에 씻겨 말려 놓았는데 다 얼어 죽었던 적도 있었다(엉엉). 흥기가 서서 쉬하는걸 보고 왠지 따라 하고 싶어 종종 서서 쉬를 해본적도 있다.

그 시절, 우리의 빌런 역할인 증조할머니의 매서운 눈초리를 피해 흥기와 나는 숲으로 달아나기 일쑤였고 숲은 우리의 유일한 안식처 같은 곳이었다. 그런데 지금 생각해보니 신기한 게 바보라 놀림 받는 흥기는 숲에서는 자유로운 영혼 같았다. 평소 걸음걸이는 느리고 엉성한데 나무에는 가뿐히 잘 오르내리고 숲길도 잘 찾고 소꿉놀이 주재료인 산딸기도 잘 찾아내었다. 그러다 어느 한 날엔 깊은 산중으로 들어갔는지 길을 헤매고 마을까지 못 찾아내려와 울었던 기억, 덤불속에 옷도 뜯기고 다리에 상처가 나서 결국 징징거리고 힘이 다 빠진 나를 흥기가 부축하여 간신히 할머니댁까지 도착했는데 벼르고 있던 증조할머니께서는 계집애가 심부름도 하지 않고 동네 창피하게 전 굿 질을 하고 다닌다며 혼을 냈다. 흥기가 딱히 잘못한건 없는데 흥기 부모님이 얼굴 붉히며 연실 죄송하다고 사과하셨던 장면이 생각난다. 그 뒤로는 흥기와 함께 했던 기억이 없다.

내 왼쪽 발목에는 사슴 뿔 모양의 타투가 새겨져 있다. 내가 언제부터 사슴에 꽂혔는지 뚜렷하진 않은데 사슴모양에 눈길이 가기 시작했다. 사슴 같은 눈망울을 가진 나의 반려견 정확히 말하자면 나와 함께 지낸 시간은 단 2년 뿐, 이후 8년 째 고향집에서 부모님과 함께 지내고 있으니 부모님의 반려견이다. 무튼 우리 강아지의 이미지와 연관이 있을 거라고만 생각했다.

초등학교 입학 전까지 할머니댁 근처에 살다가 이후 같은 지역이긴 하지만 농촌에서 벗어나 도심으로 이사를 했고 초등학교를 다니면서 자연스레 흥기에 대한 기억은 잊었는데 언제였더라, 부모님의 대화 중에 흥기가 하도 저지레를 많이 해서 어디 멀리 섬에 맡겨놓았는데 결국 죽었다는 얘기를 듣고서 나는 깜짝 놀라 거기가 어디냐고 여쭤보았고 엄마의 기억으로는 소록도인지 아마 거기일거라고.

인터넷 검색이라는 툴이 생기고 아마도 내가 처음 검색한 키워드가 소록도였을 것이다.

소록도를 검색하니 전라남도 고흥군 도양읍에 딸린 섬으로 '섬의 모양이 어린 사슴과 비슷'하다고 하여 소록도라고 부른다고 지식백과에 등록되어 있다.

외딴 섬에 홀로 버려져 영원히 잠든 나의 친구! 그때의 충격인지 흥기라는 존재는 애처로운 사슴의 영혼으로 지금껏 나의 뇌리에 남아있던 것이다.

흥기와 어울려 놀지 못하고는 증조할머니를 더욱 미워하게 되었다. 도대체 증조할머니가 나를 향해 입버릇처럼 하시는 말씀, 그 굿 질이 뭔지. 화가 났지만 어린 나는 증조할머니가 무섭기만 했다.

나는 금세 '종이인형'에 꽂혔다. 그 시절 여아들에게 아주 핫한 아이템으로 종이인형을 사기 위해서는 집에서 멀리 떨어져 있는 '학생백화점'이라고 하는 곳에 가야 하는데 어쩌다 한 번 외출하시는 부모님을 따라가서 구해오는 거였지 언제든 마음대로 손에 쥘 수 있는 게 아니었다. 대신 스케치북과 볼펜, 가위를 가지고 매일같이 인형과 인형 옷들을 그리고 오리면서 동생과 함께 놀았다. 동생은 가위질이 익숙하지 않아 주로 내가 오리기를 했다.

어느 날 엄마가 내 손을 살폈는데 물집에 굳은살까지 잡힌 걸 보시고는 당분간 가위질 하면 안 된다며 나 모르게 숨겨놓았다. 가위를 빼앗긴 나는 과연 어떻게 했을까?

스케치북 한 장을 뜯어내어 장판에 그대로 올려두고는 볼펜으로 스케치북에 그린 그림 모양 그대로 꾸욱-꾹 눌러서 찍고 도려내는 짓을 했다. 장판이 엉망진창 된 거를 보시곤 혼도 내키고 하는 수 없이 다시 내게 가위를 반납하셨단다.

이렇게 난 '희선이는 못말려'의 성격이 형성되었다.

애도하는 마음으로 사슴의 영혼 같은 존재 흥기에 이어 또 하나의 생명에 대해 이야기 하고 싶다. 정확히는 무언가를 또 잃고 가슴에 묻고 감정의 혼란을 겪었던 경험을 나누고 싶은 것.

꽃집을 잃고 방황을 하던 중 우연을 가장한 필연으로 만난 인연들이 있다. 다시는 자영업을 하지 않겠노라 다짐하며 프리랜서로 꽃꽂이 장식을 하러 다닐 때였다. 우울한 마음을 달래기 위해 따뜻한 생명의 온기가 필요하다며 생후 2개월 된 토이푸들을 데려왔다. 고삐 풀린 내 정신 줄을 다시 부여잡고자 하는 마음을 반영해 강아지 이름을 '캐치'라고 지었다.

꽃집을 운영할 땐 휴일의 개념 없이 샵에만 매여 있었는데 자유로운 패턴의 생계활동을 하다 보니 시간적 여유가 있었다. 그때 잠시 함께했던 인연들과 경기도 유명산 자락으로 캠핑을 가게 되었다.

빛이 가장 찬란한 하지 무렵. 그 날 캐치와 고작 일주일을 함께하고 그렇게 허망하게 떠나보낼 줄은 전혀 상상도 못했다. 텐트를 치고 불멍도 하며 즐거운 시간을 보내고 잠시 눈을 부친 사이. 캐치는 숨을 거두었다. 잠에서 깨어 눈에 보이지 않는 캐치를 찾다가 이불을 걷어보니 한켠에 캐치가 누워있었다. 까만 눈을 동그랗게 뜨고 있어서 처음엔 숨을 거두었는지 몰랐다. 그런데 가슴팍에 아무런 미동도 없이 네발이 경직되어 움직임이 없었다.

지금껏 살아 움직이는 생명이 숨이 멎은 걸 처음 본 것이다. 시체가 된 자그마한 캐치를, 꽃집하면서부터 사용하던 꽃무늬 린넨 앞치마로 포개어 감싸 안고 유명산 자락 인근 잣나무 숲으로 갔다. 일행들이 가지고 있던 호미로 금세 땅을 팠지만 아직도 캐치의 온기가 느껴져 쉽사리 땅바닥에 내려놓지 못했다. 차곡차곡 단단히 흙을 채우고는 숲에서 내려와 서둘러 캠핑장을 빠져나왔다. 캐치를 묻고 돌아오던 날의 풍경을 기억한다.

한 생명은 숨을 거두었는데 그날따라 왜 그리 눈부시도록 화창했는지. 오렌지 빛 능소화 꽃이 주렁주렁…야속하기만 했다. 캐치는 왜 그렇게 떠났을까.

그리고 얼마 후 시작된 장마. 유난히 빗줄기가 거세게 느껴져 혹시나 캐치 묻어둔 곳이 파헤쳐지진 않을까 걱정하다가 잣나무 숲이라 비가 많이 들이치지 않겠지 하며 또 깊숙이 잘 파서 묻고 꼼꼼하게 다졌기 때문에 머지않아 한 줌의 부드러운 흙이 된다고 자위할 수밖엔 없었다.

한동안 낮에는 July의 'My soul' 외에 다수의 뉴에이지 음악을 들으며 견뎌냈고 밤이면 김광석님의 거의 모든 노래를 무한반복 해서 들으며 술과 함께 꼬박 지새우는 날들을 보냈다.

내 마음에도 영원히 끝날 것 같지 않은 기나긴 장마가 시작된 것이다. 장마보다도 길고 긴 우기의 계절이 더 맞는 표현이다.

갚아야 할 빚이 있으니 하는 수 없이 생을 유지해야만 했다. 다행이도 일복과 먹는 복은 타고난 인생(어쩜, 어렸을 때 할머니가 해주신 음식이 맛있어 잘 먹기도 했고 잘 먹는다며 늘 칭찬을 받았던 기억으로 웬만해선 음식을 남기지 않는, 일명 '발우공양'이 습관이 되어 복을 지은 것 같다)으로 언제나 밥은 굶지 않았고 꾸준한 소득이 있어 빚과 이자도 조금씩 갚아나갈 수 있었다.

그럼에도, 무언가를 원하면 잃을 것만 같은 불안감과 지킬 수 없는 것에 대한 죄의식에 사로잡혀 옴짝달싹 할 수 없는 우울의 덫에 걸린 것만 같았다. 그나마 이런 내 마음에 위로가 되어주는 끈끈한 핏줄, 천진난만한 어린 조카들을 위안 삼으며 견뎌낼 수 있었다.

그렇게 우울한 계절을 지나 가을을 맞이하였고 죽은 캐치와 똑 닮은 토이푸들을 만났다.

캐치가 환생한 것이라고 믿었다. 다만 부실했던 캐치와는 다르게 건강하고, 엄마 표현을 빌리자면 '빡센', 해석하자면 강단 있는 생명, 지금의 내 똥강아지 보리를 만난 것이다.

보리는 나의 안정제가 돼 주었고 나와 가족들을 돈독히 연결해주는 징검다리 역할로 이 세상에 존재하고 있다. 내가 겪은 펫로스의 슬픔보다 언젠가 우리 부모님이 겪게 될 슬픔이 더 걱정되기도 하지만, 이제 나는 알고 있다. 우리는 혼자가 아니라 함께 모여 충분한 애도과정을 공유하고 '천개의 바람이 되어' 늘 어디서나 우리 곁에 머물 영혼의 죽음을 슬퍼하되 아파하지 않을 수 있음을.

보리를 만나고 심리적으로 안정이 되기 시작하면서 일정한 루틴이 있는 직장생활을 하게 되었다. 여유가 생기고 꽃집시절부터 관심을 가지고 있던 원예심리 분야에 대해 전문적으로 공부도 하게 되었는데 그 때 나와 띠동갑인 70년생 영숙언니를 만났다. 벚꽃이 만발하여 흐드러진 신촌의 밤거리를 언니와 함께 걸었던 기억이 스친다.

우리 둘 다 직장인이라 퇴근하자마자 신촌으로 달려가 열심히 수업 받고, 마치면 거리 포장마차에서 떡볶이를 먹고 삼겹살에 소주 한 잔 곁들이기도 했다. 우리는 서로의 응원 덕분에 원예심리지도자 과정을 끝까지 잘 마칠 수 있었다며 격려인사를 나누었다.

그런데 이후 실제 원예심리지도사를 베이스로 나아가 원예치료사 라는 직업을 생업으로 연계하기에 나의 경우엔 현실과 괴리감이 있었다. 숨만 쉬어도 빠져나가는 고정지출을 생각하면 당장 일자리를 제공하겠다고 두 팔 벌려 환영해도 선뜻 갈 수가 없었던 것이다. 적지 않은 비용과 시간 투자를 해서 내가 얻은 것은 나의 심리 안정과 값비싼 취미활동 수준이라 생각하니 현타가 왔다. 반면 본인의 노력을 통해 어느 정도는 경제적 자유를 이루고 취미는 물론 여유있게 봉사도 가능한 영숙언니는 협회에서 열심히 활동하게 되었다. 꽃을 다루는 솜씨 외에도 다양한 공예에 일가견이 있는 언니는 있는 듯 없는 듯 사뿐사뿐 자기에게 주어진 역할 이상을 잘 소화해내는 듯 보였다. 그런 언니를 보며 십년 후엔 나 역시도 여유와 너그러움을 가진 모습이길 바랬다.

그때로부터 6년이라는 시간이 흐른 지금, 부채 다이어트에 성공은 물론 은혜라는 수익까지 얻어 마침내 갚을 수 있는 것들은 다 갚고 여유라는 것이 생겼다.

어느 날 문득 영숙언니가 생각나서 연락을 했는데, 언니가 아닌 다른 가족에게 슬픈 소식을 전해 듣게 되었다. 영숙언니는 더 이상 이 세상에 존재하지 않는다고. 고인이 된 것이다.

언니가 활동했던 협회에 들어가 보니 진작 추모 글이 남아 있었다.

'친구란 나의 슬픔을 등에 지고 가는 자' 라고 했던가. 영숙언니는 나의 슬픈 비밀을 등에 지고 가버린 것이다. 나는 여전히 영숙언니의 슬픔을 지니고 있지만 짐이라는 생각이 들지 않을 정도로 그 슬픔이 애초에 내 것인 듯 마음 한쪽에 자리하고 있다.

'82년생 김지영'이란 소설과 영화가 있듯 '70년생 이영숙'이란 소설과 영화도 얼마든지 우리 삶에 존재한다는 것을 알게 되었다. 소설 속 주인공과는 닮은듯하면서도 다른 삶을 사는 나와 언니였다. 서로가 공유할 수 있는 삶의 이야기들이 무작정 불우하거나 초라하지는 않지만 뜻하지 않게 말 그대로 날벼락 같은 일들을 경험한 것들은 결코 가볍지 않은 것이기에 '마음을 알아주는 단 한 사람'이 있다는 것만으로 우리는 서로의 짐을 조금씩 거들며 위안이 되었던 것이다. 흥기와 캐치 그리고 영숙언니. 내 곁에 아주 잠시 머물다 스친, 그렇지만 참 애틋했던 인연이었음을. 이외에도 바람결에 흩날리는 낙엽같이 무수한 시절인연들이 떠오른다.

비로소 나는

'인간이 가진 본성 중 가장 강한 것은 타인에게 인정받고자 갈망하는 마음이다'

-윌리엄제임스<철학자, 심리학자>-

타인으로부터 처음으로 인정을 받았다고 느낀 것에 대한 이야기로 시작을 해본다.

내가 초등학교를 다니던 시절에는 '일기쓰기'가 하나의 숙제였다. 숙제 중에서 나는 일기 쓰는 것이 제일 좋았다. 날마다 버라이어티한 일상이 펼쳐지는 것은 아니었지만 호기심 많고 비교적 활달한 아이로 지냈던 터라 내가 보낸 하루 중 기억 남는 장면들을 다시 떠올리며 일기장에 남기는 것이 그 당시의 유일한 즐거움이었던 것 같다.

6학년 5반 담임 '정장호 선생님'을 소환한다.

어느 날 갑자기 반 아이들 앞에서 내 일기장을 펼쳐 들고는 선생님 특유의 유머러스한 말투로 한 줄 한 줄 읽어 주셨다. 알라딘 요술 램프가 그려진 공책이었고 일기 제목은 '다시는 불장난 하지 않을 테야'로 생생하게 기억한다. 내용은 제목에서도 알 수 있듯 부모님 몰래 심심해서 동생들과 불장난을 시도했고 하마터면 큰 불이 날 뻔해서 무서웠지만 또 한편으론 재미있었다는 스토리였다.

장난감이 많지 않던 시절 종종 있는 일이었고 내 표현이 그리 특별한 것도 아닌 것 같은데 선생님께서는 내가 쓴 글을 참 재미있게 전달을 해주셨다. 반 아이들의 반응 역시 재미있다며 이 후로도 종종 선생님께서 내 일기를 읽어주기를 바랬다.

호응이라는 것을 얻자 나는 아이들의 기대에 더욱 부응하기 위해 하루하루 일기장에 적을 에피소드 탐험을 즐기면서 보냈다. 주변을 살피게 되었고 그저 그런 평범한 일들도 세세하게 묘사를 하면 크든 작든 간에 누군가에겐 즐거움을 줄 수 있다는 것을 경험하게 되었다.

한편으로 나만의 비밀일기는 맘 깊은 곳에 꽁꽁 숨기고 만인 앞에 공개할 수 있는 일기에 익숙해지게 되었다. 그래도 언제나 일기가 끝나는 아래 칸에는 선생님의 아낌없는 격려와 조언 때로는 쓴 소리가 적혀 있었고 이러한 진정성 있는 코멘트는 겉모습과는 달리 움츠려 있던 내면아이의 존재가 성장할 수 있는 최소한의 자양분이 돼 주었던 것이다.

이후 초등학교를 졸업하고는 마치 초등학교의 연장선 같았던 남녀공학 중학교에 다니면서 변함없이 비교적 활달한 성향의 청소년 시절을 보낼 수 있었다. 겉모습만 명랑소녀 일 뿐 온전치 못하게 볼품없이 웃자란 모습을 숨기고자 늘 쫓기듯 어딘가로 도망치는 내면아이는 여전히 존재하고 있었다. 중학교를 무사히 보내고 인문계 여고에 진학하면서 방황이 시작되었다.

그 시절 학교 내 동아리 중 편집부와 방송부는 학생들에게 있어 워너비 동아리로 양대산맥을 이루었고 소속되기 위해서는 동아리 자체에서 진행하는 시험이라는 관문을 통과해야만 했다. 그동안 나름 일기쓰기로 연마한 덕분인지 글을 쓰는 행위 자체는 나에게 그리 어려운 일은 아니었다. 그렇다고 글짓기 대회에 나가서 입상할 정도의 재능은 아니었다. 두 개의 동아리 중 편집부를 선택했고 당시 각종 글짓기 대회에서 수상한 경험이 있는 친구들과 편집부 자체시험인 '글짓기'에 응시했는데 수상 경력이 있는 친구 하나는 떨어지고 내가 붙은 것이다.

하필 그 친구는 새롭게 시작하는 고등학교에서 처음 사귀게 된 친구였는데 그날 이후 더 이상 가까워지지 못하고 어색한 인사만 하고 지나가는 사이가 되었다.

남녀가 함께 어울려 자유분방하게 지내던 중학교 때 와는 달리 여고의 생활은 뭔가 숨 막히게 느껴졌다. 도시락을 먹을 때는 물론이고 화장실을 가더라도 꼭 둘 씩 짝을 지어야 하고 그 짝들이 모여 그룹을 이루면 단체 여행을 가는 버스 안에서나 여행지에서나 항상 붙어 다녀야만 하는 것이었다. 나도 분위기에 맞춰 나와 친해지고 싶어 하는 친구와 단짝을 이루면서 다른 친구들 포함 네 명의 그룹이 형성이 되었다. 그런데 문제는 꼭 그룹 내에서의 갈등이 일어나고 다툼이 생기는 것이었다. 속으로는 별것도 아닌데 엄청 유치하다는 생각을 하면서도 심각하게 고민하는 친구들 앞에서 내 속을 드러낼 수는 없었다. 학년 말이 되고야 여기서 도망쳐야겠다는 '회피'라는 방어기제가 발동하였다.

담임선생님께 겨울방학 내내 보충수업에 참여할 수 없다고 통보하였다. 고교평준화 시절이 아니었고 지역의 손꼽히는 명문 고등학교는 아니었지만 대학진학이 목표인 인문계 고등학교에서 보충수업을 하지 않는 건 대학을 가지 않겠다는 뜻이기에 부모님의 동의서가 필요했다.

동의서는 중요하지 않다며 나는 선생님께 대학을 갈지 안 갈지는 아직 미정이고 확실한 건 보충수업을 하고 싶지 않은 이유로 당장 자퇴를 할 것이라고 선언했다.

중상위권의 성적이었고 특별히 문제아로 지목된 학생도 아닌 평범한 내입에서 자퇴라는 말이 나오자 담임선생님께서는 제발 자퇴만은 하지 말라며 보충수업 제외 사유를 알아서 처리하셨고 대신 방학동안 모의고사 등급 떨어지지 않게 공부를 소홀히 하지 말라고 당부하셨다.

덕분에 나는 겨울방학 내내 자유로운 몸으로 내가 하고 싶은 동아리 활동만 하면서 보낼 수 있었다. 학기 중 편집부는 학교 내 교지와 신문을 발간하는 게 일이었는데 방학 중에는 지역 남고와 함께 연합하여 더 큰 동아리로 확장하게 되었고 그렇게 형성된 그룹으로 연극 전문가 선생님을 섭외하며 연극 분야까지 진출하게 되었다. 극본작업에 참여는 물론 연기까지도 할 수 있었다.

어느 지역에 특수학교를 설립하려고 하는데 주민들의 반발로 갈등이 일어나지만 결국엔 서로 화합하여 설립허가는 물론 지역 주민의 봉사로 좀 더 따뜻한 세상이 된다는 훈훈한 스토리였다. 극 중 나의 역할은 특수학교가 생기면 땅값이 떨어진다며 결사반대하는 입장의 '복부인' 이었고 장애 아동을 보며 마구 소리치고 화내는 악역을 잘 소화해 냈다.

문득 지금 이 글을 쓰는 순간 누군가 떠오른다! 나의 유년시절

빌런 '역할'의 증조할머니.

그리고 지적장애를 가진 소꿉친구 홍기.

위태로운듯하면서도 이렇게 고등학교 1학년은 무사히 넘길 수 있었다.

2학년이 되어 수학여행에서의 날벼락 같은 일만 없었으면 내 안에 존재하는 내면아이는 더 이상 도망쳐 숨어버리지 않았을 것도 같다. 할 수만 있다면 내 인생에 있어 '건너뛰기 또는 삭제'를 하고 싶은 기억으로 남아있다. 겉으로는 대수롭지 않은 듯 별 일 아닌 듯 건조하게 지내며 고3수험생활까지 마무리 짓고 대학에 진학한다.

부모님이 내게 바라는 것은 국립대학 진학 후 1순위 초등학교 교사 2순위 간호사 3순위 유치원교사였다. 1순위가 되면 나도 좋았겠지만 성적이 안받쳐주었고 간호과와 유아교육과는 얘기만 들어도 소름이 돋았다. 지금은 간호과도 유아교육과도 남학생의 비율이 늘었겠지만, 당시엔 거의 여학생이 주를 이뤘다. 나는 유쾌하지 않았던 여고생활로 여성이지만 여성을 혐오하는, 여성 두드러기가 생겨났다. 과 선택의 비하인드 스토리는 가족들에게 알리지 않고 익숙해진 '회피-도망치기'라는 방어기제를 발동시켜 지역에서 유일한 국립대학의 전기과를 선택하게 된다. 남의 시선을 의식하지 않고 혼자 밥을 먹거나 혼자 산책을 할 수 있었다. 그런데 자연스레 대부분 같은 과 여러 명의 남자 동기들과 함께 어울리는 시간이 더 많았지만 여고시절처럼 숨이 막히는 답답함은 전혀 느끼지 않았고 원만하게 보낼 수 있었다.

2년제 대학이라 짧고 굵은 학교생활을 무리 없이 마치기는 했지만 흥미나 적성을 생각하고 진학한건 아니기 때문에 졸업 후 이직이 잦았으며 결국 전공과 관련한 직업은 최종적으로 그 당시 갈망하던 여의도 빌딩 숲 모 기업의 신재생에너지 연구원으로 짧게 마감한다.

원하던 직장이었지만 치열한 경쟁 속으로 아무런 보호막 없이 뛰어들었구나 하는 생각에 금세 현기증을 느끼고 다시 도망치고 만 것이다. 달아나 듯 빌딩 숲을 빠져나와 거주지 근처 꽃가게에 들른 것이 삶의 큰 전환점이 되었다. 그토록 원했지만 각박하고 허무하게 느껴졌던 서울살이에서 꽃집을 오아시스처럼 여기고 자주 드나들었는데, 어느새 나는 서른을 앞두고 꽃집 알바생에서-꽃집 사장님이 되어 있었다.

살짝 발만 담그고 아니다 싶음 뛰쳐나왔던 직장과는 비교할 수 없을 만큼 더욱 치열했던 자영업 생활에서는 전혀 도망을 칠 수 없어 꿋꿋이 버티고 견디다 일순간에 무너지는 경험을 하게 된 것이다. 돌아보니 이러한 경험은 일찍부터 '강력한 부채예방접종'을 했던 것이었고 손에 잡힐 수 없는 무언가, 마냥 뜬구름을 쫒았던 과거와는 달리 없으면 없는 대로 사는 지족知足면역력을 획득하여 지금껏 신용카드 한 장 없이도 전혀 불편함을 느끼지 않는 삶을 유지할 수 있는 원동력이 되었다.

비로소 나는, 지금부터라도 내가 의도하는 대로 자유롭게 살고 있는 현재의 내 모습에 안도감을 느끼고 나 스스로를 인정해 주기로 했다.

삶은 수행

2017년도 여름휴가동안 월정사에서 보낸 시간들을 담은 일기장을 꺼내어 본다.

자유롭게 휴식하는 형태의 일반적인 템플스테이와는 달리, 승려가 되기 전 '행자'생활을 체험할 수 있는 단기 출가학교 프로그램에 참여하면서 기록한 것이다.

[修行일기]

오대산 월정사 출가학교 제 3기 / 법명: 明仁

수행기간: 불기 256년 7월 30일~8월 2일

첫 날 (삼보일배: 세 걸음 걷고 한 번 절하기)

-

다람쥐를 보았다.

나무 위를 쪼르르 가볍게 오르내리는 모습.

비 내리기 전 특유의 향기.

전나무와 어우러져 더욱 향기롭게 느껴졌다.

삼보일배를 완수했다.

'석가모니불'만 의지할 수밖에 없었는데 의외로 상쾌했다.

울분의 소리를 내지르니 속이 시원하였고 게다가 비까지 내렸으니 제대로 마인드 샤워.

자세를 흐트러지지 않게 하려고 노력했다.

새소리, 징소리, 목탁소리에 귀가 홀리니 정작 내 맘속에 있던 잡념들은 사라졌다.

'이 곳에 왜 왔는지는 중요하지 않다. 이곳에서 어떻게 보낼지가 중요하다'

특히나 나에겐 길지 않은 시간이니 매 순간마다 충실히 보내야겠다.

망망대해에서 쪽배를 노 젓는 사공 오직 나 한사람.

생각보다 시간이 빠르게 흐르는 것 같아 벌써부터 아쉽다.

새벽공기, 스님의 염불소리, 목탁소리에 내 맘속 복잡한 상념들은 점점 사라지고 있다.

스산할 줄 알았는데 나를 감싸 안고 있는 오대산의 품이 퍽 다정하다.

시간이 멈추었으면 좋겠다.

각박한 현실의 괴로움은 벗어버리고 이곳, 지금 여기에 충실하자.

아, 영혼이 고달픈 것 보다는 몸이 고된 게 더 견딜 만 하구나.

둘째 날 (108배: 백팔 번 절하기)

–

산사의 아침은 생각보다 분주하다.

전날 삼보일배 덕분에 평소 안 쓰던 근육들이 이곳저곳에서 아우성이다.

허벅지 안에 돌덩이가 박혀있는 느낌이랄까.

한 걸음 한 걸음 내닫기가 힘들었다.

새벽예불 후 참선으로 시작을 했고 화두를 찾기 보단 멍 때리다가 졸지 않기 위해 허리를 바로 세워 단전에 집중하고 호흡을 여러 번 했다.
그리고 이어지는 108배는 허벅지가 아파서 잘 못할 것 같았는데
막상 음향소리에 귀 기울이니, 절로 참회하는 마음이 생기면서 1배 1배에
정성을 다할 수밖에 없었다.
조상님의 덕을 모르고 살아온 죄, 부모님께 감사함을 모른 죄, 남을 원망하고 살아온 죄, 시기한 죄, 교만한 죄……108개 아니 그 이상 수없이 많은 죄를 참회하기 위해선 정말이지 3천배도 부족할 수 있으리라…
불교의 핵심 교리라 할 수 있는 연기법 '이것이 있으므로 저것이 있고, 저것이 있으므로 이것이 일어난다' 스님의 특강을 들었다.
고무신을 신고 걸으면서 땅을 느껴보는 선재길 걷기 명상시간,
서울대공원 산림치유 숲길을 맨발로 거닐던 지난 가을이 스쳤다.
지구와의 접지. 시원한 계곡 물소리를 들으며 손과 발을 살포시 물에 담그며 잠시나마 물의 감촉을 느껴볼 수 있었다. 처음엔 차가웠고 점점 따뜻해지는 느낌.
이 숲에 있는 자연 생명과 대화하기에서 나는 눈에 띄는 이끼에게 달려갔다.
먼저, 초록이 선명한 이끼를 쓰다듬었다. 언뜻 작은 무덤같이도 생겼다. 캐치가 떠오른다.
보니 자그마한 바위에 착 붙어있는 이끼와 바위틈에 뿌리를 내린 작은 풀꽃이 보였다.
바위도 하나의 '생명의 근원'이었다. 관계 속에 피어나는 생명들을 느껴보았다.
스님과의 차담시간, 시간이-세월이 흐르는 것이 아니라 내가 흘러가는 것이다.

셋째 날 (이 뭣고! 스님의 죽비)

-

새벽예불이 조금은 익숙해졌다.
법당 가는 길- 아직은 까만, 새벽하늘을 수놓은 무수한 별들.
어느새 동이 트기 시작하는 산사의 고요한 공기를 흠뻑 마신다.
108배는 매일매일 해야겠다, 서울 가서도 어디서나.
1시간 20분, 참선의 시간. 끝을 알리는 스님의 죽비소리만 기다리고 또 기다리던.
이 뭣고!(탁 탁 탁!)
참선과 명상의 차이점. 명상은 마음의 평안 참선은 자기성찰이 더해진다고.
화두, 업, 망상, 번뇌. 풀 뽑기 포행.
이슬 머금은 풀 한포기가 너무나 예뻐 캐어내기 미안했다.
율마 한 가닥과 흡사하게 생긴 풀. 이름이 있을 텐데.
하긴 풀 한포기 이름조차 우리가 만들어 관념화 시킨 식물이지만.
아름다운 꽃에 눈이 가고 마음이 가는 건 어쩔 수 없다.
하트모양 잎처럼 앙증맞은 풀꽃.
내 마음 밭에 무성한 잡초가 우거지지 않도록 번뇌와 망상을 제거하듯 뽑아내야지.
굳이 예쁘고 귀여운 풀들을 무자비하게 뽑자니 어쩐지 미안.
그러나 더 중요한 존재가 무엇인지 성찰 하라는 뜻이겠지.
미련이 없는 가벼운 잡초들은 쉽게 쏙쏙 잘 뽑히는가하면 삽으로 쿡쿡 여러번 파헤쳐야만 하는 깊게 뿌리박힌 것들도 있으니.
무성하기 전에, 깊게 뿌리 내려 손도 쓸 수 없기 전에 미련 갖지 말고 제거하자.
삼보일배로 다녀왔던 전나무 숲길을 걸었다.

아름드리 큰 나무 곁에 작은 나무가 쓰러져 큰 나무 뿌리 주변을 감싸 결국엔 뿌리와 한 몸이 되어있던 모습. 발목 잡힌 게 아니라 흡수한 것 같았다.
하늘 높이 우뚝 솟은 나무들 사이사이 꿋꿋이 자기자리를 지키는 크지 않은 나무들.
고사리, 이끼, 바위솔 모든 자연식물, 생명체들이 각자의 자리에서 하나 되어 이루어진 숲.
그리고 산. 높고 낮음이 중요한 것 같지 않다.
스님들이 쓸어놓은 숲길을 드디어 맨발로 걸었다.
촉촉한 땅의 숨결, 발을 대거나 이마를 대거나 언제나 그 자리에 지구와의 접지.
까마귀도 자세히 보았다. 진짜 올블랙.
매일 이어지는 포행 길, 산책, 계곡 물소리, 새소리…
이 곳에 묻히고 싶다.

떠나는 날 (꿈 깨시오!)

-

예불도, 참선도, 발우공양도 산사에서의 모든 것이 숨 쉬듯 자연스러운데.
이제 떠나야만 한다. 정점에 달하는 반야심경 목탁습의 시간이 끝나면…
또르르 똑! 또르르 똑! 석가모니불 석가모니불….스무 번
또르르 똑! 또르르 똑! 일곱 번
마하반야 바라밀다심경 관자재보살이……

출가는 고통과 번뇌가 많은 사람이 세상만사 회의를 느껴 입산하는 게 아니라 오히려 고통과 번뇌에서 자주독립을 선언한 여성, 다시 말해 새벽 강처럼 잔잔하고, 풀잎의 이슬처럼 맑은 심성을 지닌 건강한 여성들이 하는 것이다.

-이기와<비구니 산사 가는 길>중에-

출가의 본질도 모르는 어리석은 중생이, '피상적인 출가를 꿈꾸지 말고 주어진 삶 자체를 수행으로 삼을 것' 이라는 깨달음을 얻고 현실로 돌아올 수 있었던 찰나 같은 시간이었음을.

그랜드 슬램

영혼의 고달픔을 잊게 해 주는, 마치 삼보일배와 같았던 자전거타기의 추억을 꺼내어본다.

글도 사진도 마음을 완벽하게 스캔할 수는 없지만 흐릿한 연필자국 같은 오래전 일기라도 남아 있으면 그때의 마음가짐을 다시 헤아릴 수 있다.

백세희 작가의 에세이 '죽고 싶지만 떡볶이는 먹고 싶어' 라는 제목이 맘에 콕 와 닿아서 나도 언젠가 자전거 여행 기록이 담긴 책을 쓰게 되면 제목을 '죽고 싶지만 자전거는 타고 싶어' 로 해야지 하며 당시 블로그에 올린 일기를 소환한다.

[2018년 라이딩 일기]

내게 있어 자전거란 '여우의 신포도'와 같은 존재였다.

초등학교 4학년 때인가 이웃집 또래 남자아이가 어느 날 자전거를 타고 나타났고 동네 아이들은 모두 그 아이의 자전거를 타고 싶어 줄을 섰던 기억.

잘 보이려고 과자까지 준비한 동네 아이들이 더 얄미웠다.

나 역시 속으로는 몹시 타보고 싶었지만 용기 내지 못했다.

작년 추석, 처음 내 자전거가 생겼다.

조카들 몫으로 들어온 중고지만 깨끗한 상태의 자전거였는데

이미 조카들은 해마다 어린이날 선물로 자전거를 업그레이드 하여 굳이 필요치 않았던 터라 이모가 타면 되겠다며 조카들이 전했고 고마워하며 기꺼이 선물로 받은 것이다.

무겁기로 유명한 철자전거를 낑낑거리며 버스에 싣고 서울로 가져와 날마다 출퇴근도 하고 동네 산책도 하면서 함께했는데 어느 날 보도블럭 턱에 걸려 꼬꾸라지고 말았다.

부상당한 입가를 당시 두르고 있던 머플러로 가리고는 부랴부랴 응급실행.

입술과 인중의 경계가 뚫려 '근육관통상-봉합' 응급 수술을 받았다.

외과적인 상처가 아물고 나서야 골절된 치아도 치료할 수 있었다.

지금도 후유증으로 앞니 한쪽을 못 쓴다.

딱딱한 복숭아와 사과를 한입 베어먹지 못하고 그토록 좋아하는 엄마표 닭발을 맘껏 뜯지 못하는 불편함이 있다. 전과는 달리 웃을 때 부자연스럽고 윗입술이 미세하게 떨리기도 한다.

사고 소식을 전해 듣고 걱정하는 조카들에게 이모는 트라우마 같은 건 만들지 않을 거라며 자전거 타기의 행복을 느꼈기에 앞으로도 계속 탈거라고 이야기 해주었고, 본격적으로 타기 시작했다. 이 기회를 구실삼아 평소 눈여겨보던 맘에 드는 로드자전거를 하나 장만한 것이다.

약골은 아니지만 여리한 몸으로 지내왔고 운동신경이 없어서 그런지 일반 생활자전거에서 사이클용 로드자전거로 적응하기까진 남들에 비해 오랜 시간이 걸렸다. 수없이 넘어지고 다시 일어나 안장 위에 오르기를 멈추지 않았다.

차츰 다리근육이 강화되고 전반적으로 체력이 향상됨을 느끼자 국토종주 자전거길 여행 목표를 세웠다.

국토교통부에서 발행하는 여권같이 생긴 인증수첩을 늘 소지하고 다니며 자

전거를 타고 자전거길 구간마다 위치한 인증센터를 찾아다니며 마치 '참 잘했어요' 하는 듯 쿡하고 도장 찍는 재미에 보람을 느꼈다.

평일 퇴근 후엔 자전거를 타고 해가 저물어가는 서쪽 아라뱃길을 향해 달리고 주말엔 동쪽을 향해 구리를 지나 팔당댐, 능내역을 지나 북쪽으로 청평, 가평, 강촌, 춘천역까지 북한강 종주를 하며 매 주 약속이라도 한 듯 소양강처녀 동상과 마주하게 된다.

초승달이 남아있고 여린 분홍빛이 배인 아름다운 여름 새벽하늘이 보고 싶어 3-4시에 절로 눈이 떠졌다. 이렇게 멋진 하늘 인생에서 몇 번이나 볼 수 있을까. 작년 월정사에서의 새벽예불 가는 길의 고요함도 느낄 수 있었다.

그 덕에 힘든 줄도 모르고 노를 젓듯 페달링.

날이 좋으면 무조건 달렸다.

여름휴가엔 섬강을 지나 충주댐까지, 무궁화 꽃의 힘찬 에너지를 받으며 아름다운 우리국토 자전거길 종주를 완수하겠노라 다짐도 하며. 절로 애국심이 생겨났다.

차곡차곡 안장에서의 마일리지를 쌓으며 추석연휴엔 드디어 2박3일의 동해안 종주(강원구간)와 더불어 미시령 힐클라임까지 완수했다. 속초 대명항서부터 미시령을 오르면서는 마치 삼보일배와 오체투지 버금가는 아니 그보다 더한 수련을 하는 마음이었다.

울산바위 포토존에서 잠시 쉬며 이리 가파른 고갯길을 어찌 올랐나 싶을 정도로 극도의 공포를 경험했던 내리막 길. 아직도 그때를 생각하면 심장이 덜렁덜렁. 오르는 것보다 내려가는 게 더 힘들었다.

동해안 바다모습은 구간마다 다채로워 해변을 끼고 달리는 내내 지치지 않았는데, 미시령 한 번 오르내리니 다리가 후들거리기 시작했다.

그럼에도 눈앞의 고지를 두고 포기하면 안 된다는 생각으로 열심히 달렸다.

포기했음 어쩔 번 했어.

하트 액자같이 생긴 조형물이 있던 봉포해변은 하나의 바다그림 같았다.
고성 통일전망대까지 찍고 다시 돌아가는 길에 마주한 호숫가.
늦은 오후의 햇살이 살포시 담겨있던 고요한 송지호는 신성 그 자체였다.
속초터미널에 무사히 도착해 서울로 복귀하는 내내 가시지 않았던 여운.
꿈결 같은 투혼의 종주가 올해 가장 기억에 남을 것 같다.
땀에 젖어 꾸깃꾸깃한 여권같이 생긴 종주수첩을 보며 당장 세계일주는 못하지만 국토종주는 할 수 있다는 것만으로도 자신감을 얻었다.

이후, 건강한 육체에 건전한 정신이 깃듦은 물론 '인정받고 싶은 욕구'를 충족시키는 자전거 스템프 인증 투어는 다년간 계속되었고, 드디어 2021년 11월 조카들과 함께한 제주도 환상종주를 끝으로 '국토완주 그랜드슬램'을 달성했다.

국토교통부와 행정안전부에서 발행하는 그랜드슬램 인증서에는 '귀하는 대한민국 자전거길 국토완주 그랜드슬램을 달성하였음을 인증합니다'라는 메시지와 금색의 스티커가 붙여져 있는데, 내 인생이라는 올림픽에서 나 스스로에게 '너 잘했어, 인정해!' 금메달의 의미였던 것이다.

국토완주를 하고는 백두대간 산맥 곳곳을 다니기 시작했는데, '머리 깎고 산사의 스님이 되겠다던 이모가 로드사이클을 타고 산중을 떠도는 로드마녀가 된 사연'을 담은 책을 만들어 조카들에게 선물하고 싶었다. 이번 프로젝트 덕분에 한 파트로나마 이렇게 담을 수 있음에 만족하기로 한다. '마녀에게 마법 지팡이가 있다면 이모에겐 자전거가 있어 안장 위에만 오르면 없던 힘이 생긴단다. 자유로이 날아다니는 마법을 부리 듯 마음의 산맥을 오르내리던 시간들은 현실을 직면할 수 있는 용기를 갖게 해주었어, 지금도 언제든 함께 떠날 준비가 되어 있는 하나의 멘탈 훈련 방식으로 자리하고 있어'

무늬만 치유

'나는 네가 지난 여름에 한 일을 알고 있다' 어느 공포영화의 제목이 갑자기 떠오른다.

이번 여름, 여수 밤바다를 배경으로 심야극장의 주인공이 되어 나의 숨겨진 과거를 연기하게 되었다. 주제는 '욕망'이었고 욕망에 대한 생각의 시작은 내 경우 '자아실현'이었다.

산림치유지도사 양성교육과정 중에 배웠던 '메슬로우의 욕구단계' 중 최 상위 5단계인 자아실현 욕구를 이루고 있는 지금이 만족스럽다며 운을 떼었다. 여기까지는 이성이 지배하는 훤한 낮 시간의 일이었고, 밤이 깊어지고 새까만 바다에 붉은 달이 떠오르면서 내 안에 깊숙이 자리하고 있던 과거의 미해결과제가 불쑥 튀어나온 것이다. 지금도 긴장이 되고 심장의 두근거림이 느껴진다. 나에겐 하나의 사고와 같은 것이었으니 육하원칙에 의거 '사고경위서'를 작성하는 맘으로 옮겨본다.

-언제: 고등학교 2학년, 초가을 무렵

-어디서: 제주도 수학여행, 숙소 화장실

-누가: 동창

-무엇을: 성추행

-왜: ????????

-어떻게: 강제로

여고시절, 나에게도 이성교제에 대한 로망이 있었다. 내가 여성이니까 당연히 남성과 사귀고 싶은 마음이 있었다 라고 말하면, '당연히'에 주목하며 물음표(?)가 따라 올 수도 있겠지만.

또한 동성친구 뿐 아니라 이성친구와도 보편적이거나 때론 찐한 우정을 쌓을 수는 있었지만 내가 '연애'의 감정을 느낄 수 있는 대상은 한정적이었다. 로맨스 소설을 읽으며 애정하는 이성과의 첫키스를 상상해보곤 혼자 얼굴 빨개지곤 했었다. 나는 그런 평범한 여고생이었는데 전혀 생각지 못한 공간, 인물, 느낌… 모든 것이 강렬했다. 사고 당시 강렬함을 넘어서 공포스러움이 지배적이었고 이후로는 수치심과 뭔가 모를 죄의식으로 변해있었다. 그리고는 애써 아무렇지 않은 척- 별일 없었다는 듯 건조하게 내 감정을 꽁꽁 숨겼다. 그게 어쩌면 상대방 가해자를 자극하지 않는 것이라고 판단했기 때문에 정말 대수롭지 않게 받아들이도록 내 자신을 강제하며 견뎠다. 그런데 이번 심야극장 무대에서 그날의 사건과 함께 가해자를 꺼내어 빈의자에 앉히곤 방석으로 대신하여 수십 번 수백 번 그 이상 혐오와 증오의 방망이질을 한다 해도 풀리지 않는, 오히려 거센 방망이질에 내 팔 어딘가에 뜻하지 않는 멍 자국만 여러 개 생길 뿐이라는 것을 알게 되었다.

'용서는 제비꽃이 자신을 밟는 발꿈치에 남기는 향기다'라고 했던 마크트웨인의 어록에 의지하며, 추운 겨울을 지나 봄이 찾아오면 어김없이 여기저기 피어난 제비꽃을 볼 때마다 용서라는 화두를 꺼내어 나에게 강제로 입을 맞춘 그녀를 떠올리며 보내곤 했다. 제비꽃 설탕절임을 우걱우걱 먹어치우는 상상을 하며.

제비꽃 설탕절임을 먹으면
단박에 나는 소녀로 돌아간다
그 누구의 것도 아니었던 나

-에쿠니 가오리<제비꽃 설탕절임>중

관객 중 한사람이었던 치유나무숲(아웃도어연구회) 홍광국대표님은 선배작가이기도 하면서 이번 <글쓰기숲치유>프로젝트를 기획하고 운영하시는데 그의 첫 글이 담긴 책 '나에게로 와 고유함이 되었다'를 건네며 친필 사인을 요청했더니 내 이름 세 글자로 삼행시를 지어 담아주셨다.

'**이**롭고 **희**망을 담은 **선**한 영향력을 주는 멋진 이에게'

덕분에, 이렇게 무늬만이라도 나만의 방식으로 치유를 향해 한 걸음 한 걸음 내딛는 발걸음에 용기를 더할 수 있었다. "고-맙-습-니-다"

심야극장에서 내가 내뱉고 행했던 모든 것들을 반추하며 괴로워하다가, 또 그 일이 있을 수밖에 없었던 오래 전 일들을 떠올리며 고통을 느끼던 중- 문득 지난 봄날의 기억이 스쳤다.

산책 중 흐드러진 벚꽃 나무 아래에서 고난이도 요가 동작을 하는 분을 마주한 적이 있는데, 맞은편엔 그 모습을 담는 촬영 팀이 있었고 너무 신기해서 관객모드로 관람을 하다가, 잠시 휴식을 취하는 시간에 그녀에게 다가가 물었다.

나 : "오와~정말 대단하세요, 혹시 수련하신지는 얼마나 되셨나요?"

그녀: "요가한지는 대략 십 년 정도 됐고요, 수련이요? 이제부터가 수련의 시작인데요?(미소)"

그렇다! 나 역시 '힐링이 필요해' 노래를 시작으로 지난 11년 전부터 지금껏 홀로 걸어온 시간들은 치유의 입문이었던 것.

이제부터는 결이 비슷한 사람들과 함께 치유의 본질을 향해 나아가는 심화과정에 들어섰다는 것을 알아차릴 수 있었다.

지금, 여기

바스樂

–

잎이 떨어져 한 결 가벼워 진 느티나무 아래,
낙엽 카펫 위에 앉아 가을 햇살에 잘 말려진
낙엽들의 바스락거림을 온몸으로 느껴본다.

바람결에 드림캐처 자개 소리가 달랑달랑,
물소리 새소리 따듯한 빛 그림자까지 덩달아 흔들거린다.

이 곳에 온 첫날, 비에 젖은 생잎파리들의 풋풋한 향도 좋았고
지금 이 순간, 바싹 건조된 낙엽향도 참 좋다.
시간에 따라 저마다의 고유한 향기를 전하는 것 같다.

더 좋은 건-
매순간마다 이 공기를 나누어 마시며,
바스락 거리며 함께 걷는 발걸음이다.

나는 '산림치유지도사'로서의 역량 강화와 더불어 숲에서 '나만의 비밀 이야기'를 글로 쓰고 싶은 마음에 이번 <글쓰기숲치유> 프로젝트에 참가자 겸 스텝으로 함께하였다.

'글쓰기와 숲치유' 이 두 가지 주제의 조합만으로도 마음이 움직여 함께 하게 된 다른 참가자분들과 서로의 글을 공유하며 가을 숲의 정취를 교감할 수 있어서 참 좋았던 시간이다.

우리들만의 시크릿 가든 같았던 시맛골 숲에서 단풍나무로 만들어진 오카리나로 뮤직마운트 그룹의 <사랑은 외로운 투쟁>앨범에 수록된 '우린 사랑하는 법을 배우기 위해 잠시 머물 뿐입니다'라는 곡을 연주했는데, 한편의 시 같은 이 곡의 보컬버전 가사를 옮겨 담으며 이번 치유의 여정을 함께 한 동기들에게 마음의 편지를 전한다.

고운 얼굴 아름다운 마음
미소 짓던 따스한 눈망울

눈부시게 아주 파아란 하늘
함께 했던 향기로운 날들

나 홀로 서고 나 혼자 이루고
나밖에 없던 날들

왜 바보처럼 떠나보낸 후에
이렇게 그리울까

누군가가 말을 하곤 했죠
언젠가는 알게 될거라고

우린 여기 사랑하기 위해
아주 잠시 머물뿐이라고

글쓰기숲치유

나에게 보내는 자비로운 한 마디

넘어져도 괜찮아

이희선

류두희

나도 이젠 해방되고 싶다

글을 시작하며

이제는 자유롭게 해방되고 싶다.
평생 내 머릿속을 짓누르던 장남이란 등짐도,
군인이란 긴 터널도, 직장이란 굴레도….

쉰 살이 넘어 시작한 사회생활에서
치열한 밥그릇 싸움도 구경하고
따뜻한 인정과 가슴을 울리는 진한 감동을 느끼며
내 심장은 자극받았다.

36년이란 긴 군대 생활은
긴장과 불안 그리고 엄한 통제 속에서
어항 속의 물고기처럼 숨죽이며 살았다.

학창시절은 먼 길을 통학해야만 했다.
담배 연기 그윽한 만화방이나 당구장은 불량아들만 다니는 줄 알고
피해 다니느라 추억다운 추억도 쌓지 못했다.

어린 시절에는 농사일과 집안일 돕느라
그 흔한 기타나 하모니카 배울 틈도 없었다.

육십 년 넘게 참 바쁘게 살았다.

짓누르는 꿈

나는 휴일이지만 당직근무를 하는 중이다. 우리부대는 인원도 많지 않은 소규모부대이고 특별한 교육이나 전달할 게 없는지라 저녁점호는 내무반장을 통해 인원파악만 한 뒤 취침시켰다. 밤 11시쯤 되었을 때 내무반에서 전화가 걸려왔다. “한 일병이 보이지 않습니다”라는 불침번의 다급한 전화를 끊고 내무반으로 달려갔다. 전 부대원을 깨우고 모든 사무실과 화장실 그리고 창고 등 부대 구석구석을 한참동안 찾았지만 어느 곳에서도 한 일병을 발견할 수 없었다.

상부에 보고할 수밖에 없는 상황이 되고 만 것이다. 순간 내 머릿속이 흐릿해졌다. 한 일병이 탈영한 걸까, 아니면 자살한 걸까 무엇보다도 언제 어떻게 사라졌는지 몰라 머리카락이 바짝 곤두서는 듯 했다. 상급부대에서 사고조사가 나올게 뻔해 걱정이 이만저만 아니었다. 무엇보다 한 일병에 대한 신상파악도 문제지만 저녁점호 때 사전 감지하지 못한 책임도 뒤따를 수밖에 없어 뜨끔했던 것이다.

이러다 징계를 받을 수도 있겠다는 생각이 번쩍 들었고 징계로 인해 30년 넘게 성실히 해왔던 군 생활이 불명예스럽게 끝날 수 있다는 불안감이 엄습해 왔다. 지휘관의 당혹해 하는 얼굴이 어른거리고 상급부대 조사관들의 모습이 눈앞을 스쳐 지나간다. 군 생활 33년을 무탈하게 복무한 뒤 받을 수 있는 보국훈장도 날리는 건 아닌가 별별 생각이 다 들었다. 그러면서도 한 일병을 찾아다니느라 정신이 없었다.

어느새 집에서 쉬고 있던 간부들이 속속 복귀해 이곳저곳 분주하게 움직이는 모습이 보인다. 모든 전화기는 쉴 새 없이 울려대며 초긴장 상태가 되고 말았다. 바삐 움직이는 부대원들이 "한 일병이 보급병이니까 물품창고도 확인해 봐", "관물함에 어떤 물건이 없어졌는지 알아봐"하며 다급한 소리가 계속해서 들려오자 더욱 초조하고 애를 태우고 있었다.

그때 '딱'하고 전기 스위치 올리는 소리가 들렸다. 눈을 떠보니 우리 집 안방이었고 아내가 일어나 부엌의 전등을 켜는 소리였다. 순간 꿈이었다는 걸 알게 되었다. 나도 모르게 긴 한숨이 나왔다. 다행스럽게 현실이 아닌 꿈이었다는 사실에 감사하고 안심할 수 있었다.

내가 군에서 전역한지 10여년이 되었지만 간혹 이렇게 군대생활에 대한 꿈을 꾼다. 늘 위기에 몰려 애태우고 허우적대는 모습들이다. 잘못한 것도 있고 혼나는 것도 있고 법규를 준수하지 않은 것에 대한 추궁도 나를 괴롭힌다. 또한 나의 실수나 부주의에 대해 자책하는 부분도 간혹 꿈을 꾼다.

군인이 되다

고등학교를 졸업하고 열아홉 살의 어린나이에 군인이 되었다. 중학교를 졸업할 무렵 친구들은 한참 고등학교 입학원서를 쓰기 시작했지만, 나는 산업전선에 뛰어들라는 아버지와 끈질긴 싸움과 갈등을 겪으며 긴 줄다리기를 했었다. 결국 육군본부로부터 학자금을 받는 대신, 졸업 후 기술부사관이 되어야 하는 조건으로 공업고등학교를 다녔다. 머리한번 길러보지 못한 채 졸업 2개월만에 군복을 입었다.

내가 입대하는 날 동네 이발소에서 민둥머리를 하고 할머니와 엄마, 아버지가 앉아있는 안방에서 큰절을 했다. 옆에는 친척집 할머니와 아주머니들이 나를 쳐다보며 “아이고 저렇게 어린 게 어떻게 군대를 가!”라며 가슴아파했고 할머니는 “아이고 우리새끼. 몸조심하고 잘 다녀와!”라고 작별인사를 하면서 참았던 눈물을 흘리기 시작했다. 주변사람들은 물론이고 나도 샘물처럼 펑펑 눈물을 쏟았다. 그리고 마을 어귀까지 쫓아와 서로 보이지 않을 때까지 손을 흔들고 시골집을 떠나왔었다.

군대는 사회와 많은 차이가 있다. 전쟁을 대비하는 곳이고 살상무기를 다루는 일을 하기 때문이다. 적과 대치했을 때는 상대를 죽여야 내가 살고, 나라도 지킬 수 있으니 다소 불합리하고 비인간적인 일을 할 수도 있는 집단이다. 오직 싸워 이길 수 있는 싸움꾼을 만들고 싸우는 방법을 연구하며 숙련시키는 독특한 직업군에 속한다. 그래서 규율이 엄격하고 상하관계가 뚜렷할 수밖에 없다.

나는 더 특수한 곳에서 근무했다. 군을 위협해 오는 외부의 세력과 군내 정보가 밖으로 흘러나가지 않도록 막는 역할을 수행했다. 그리고 군인다운 군인을 육성하는데 기여하기도 했다. 군에서의 지휘관 권한은 막강할 수밖에 없다. 지휘관의 어떤 판단에 의해 장병들이 다 같이 살수도 있고 때로 생명을 잃을 수도 있기 때문에 군인들의 진급과 직책부여는 엄격하다. 그런 만큼 군인들은 어항속의 물고기처럼 투영된 삶을 살다보니 삶의 자체가 긴장의 연속일 수밖에 없다.

내가 배치 받은 부대는 외부에서 볼 때 꽤나 끗발 있는 부대라고 하지만, 군기도 세고 상명하복을 생명으로 삼는 부대였다. 그런 만큼 내부적으로는 엄청난 통제와 교육은 물론 고도의 노블레스 오브리쥬(noblesse oblige)를 요구했다. 당시는 관내를 벗어나지 못하도록 위수지역을 통제했고 수시로 번개통신이란 명분으로 현재 위치를 보고토록 하는가 하면 불시 비상소집을 발령하여 부대로 복귀하는 훈련을 했었다. 그래서 원거리 출타는 상상할 수 없는 일이었다.

그리고 음주운전이나 사건에 연루될 경우 부대의 명예가 실추된다며 지속적인 정신교육은 물론 서약서 작성 및 결의대회 등이 수시로 이뤄졌다. 정부의 고위급공무원이나 대령급 이상 장교들에게 적용되는 「재산신고」를 부사관들 까지도 제출하게 함으로써 매년 재산현황과 증감내역을 보고하는 웃지 못 할 일도 있었다.

또한 설날이나 추석에도 고향을 찾는 건 쉽지 않았다. 당시 군인들은 아내가 출산을 할 때도 "네가 아이 낳나?"는 핀잔 때문에 곁을 지켜주지 못한 채 혼자 출산하게 했고, 빈번한 부대이동에도 불구하고 홀로 이삿짐을 꾸려 이사하는 건 보통이었다. 부모님 생신이나 가정행사에 아이들을 데리고 홀로 시댁과 친정을 오가는 것도 다반사였다. 그래서 군인의 아내를 제 2의 군인이라고 부르기도 했다.

그럼에도 불구하고 70년대 말 10.26과 12.12를 겪었고 80년대 서울의 봄과 광주항쟁을 군인의 입장에서 지켜볼 수 있었다. 그리고 아홉 분의 국군통수권자가 바뀔 때마다 격변의 시대를 경험하면서 36년 8개월간의 긴 군대 생활을 마치고 준위로 전역할 수 있었음을 감사하게 생각한다.

불안과 긴장

나는 이명박 前대통령이 주관하는 국군의 날 행사 경호경비에 투입된 적이 있었다. 내 임무는 행사전날 각급부대의 총기 및 탄약에 대한 안전조치와 행사당일 주요지역에 경호 인력을 배치하는 임무를 받았었다. 국군의 날 행사가 열리기 한 시간 전쯤 대통령 내외는 부대 헬기장에 내려 본청 접견실에서 군 관계자 및 국군의 날 행사 참가자들과 환담을 나누고 있는 시간이었다.

대통령께서 환담이 끝나고 행사장인 대연병장으로 이동하기 위해 세단과 컨보이 차량들이 본청 앞에서 줄지어 대기하고 있었고, 경호원과 헌병들은 극도로 긴장된 가운데 각자 정위치하고 있었다. 모든 부대가 숨죽인 채였고 모든 경호부대원들도 무선침묵 상태로 대기하고 있었다.

올해 국군의 날 행사는 과거와 달리 총장, 장관 주관 예행연습 때에도 매일 5~6천명의 관람객이 참석하여 취약요소도 많았었다. 초청 인사뿐 아니라 인터넷을 통한 참관자들이 많았기 때문에 행사장은 어수선하기도 하고 혼잡하기 그지없는 상황이었다. 그래서 청와대 경호처는 물론 경호 관련 부서는 그 어느 때보다 긴장된 가운데 부산하게 움직이고 있었다.

나는 영내 주요지역에 경호 인력을 배치하고 관람객들에 대한 출입통제, 초청인사 수송 등을 확인한 후 상황실에 위치하여 행사를 지켜보고 있었다. 대통령께서 행사 주관을 위해 본청에서 대연병장으로 이동하고 임석상관에 대한 경례를 한 후 21발의 예포가 발사되는 순간 전화벨이 요란하게 울렸다.

행사장으로부터 4Km 떨어진 대전~논산간 1번국도 도로상에서 5.56mm 보통탄 등 15종 54점의 실탄이 들어있는 종이박스가 발견되어 경찰에 신고 되었다는 소식이었다. 순간 상황실이 발칵 뒤집어졌다. 물론 경호 CP도 전 지역에 경호경비 강화조치를 발령했다.

부대장은 해당참모에게 "야, 우리부대 탄약은 이상 없는 거지?", "최종적으로 누가 점검했나?", "이상 있나? 없나?", "탄약 현황 가져와 봐"라고 소리 지르며 비상이 걸렸다. 이곳에는 수많은 총기와 탄약이 있기 때문에 발견된 탄약이 어느 부대 것인지?, 탄종은 무엇인지?, 롯트번호는 어떤지 확인하느라 상황실은 아수라장이 되고 말았다.

지휘관은 물론이고 실무자들 까지도 이곳저곳에 전화하여 상황을 파악하느라 분주했다. "그 탄약이 어느 부대 탄약인지 나왔느냐?", "탄약 상태는 어떻냐?" "그 탄약은 지금 어디에 있느냐?"며 확인했지만 속 시원한 답변은 들을 수가 없었다. 한참 시간이 지나 경찰서장이 청와대 경호처장에게 보고하기 위해 부대로 들어왔다. 나는 가슴이 철렁이고 걱정이 엄습해 오면서 온몸에 기운이 쭉 빠져들기 시작했다. 그 이유는 행사 전날 내가 이 부대 탄약에 대한 안전조치를 했었기 때문이다.

순간 머릿속에 스쳐가는 것이 '군 생활이 이렇게 끝나는 건가!', '결국은 안전조치 미흡으로 처벌을 받을 수도 있겠구나' 별별 생각이 다 들었다. 그러면서도 과연 그 탄약이 어느 부대 것인지, 롯트번호가 나온 것인지 확인 작업에 들어갔고 탄약담당관을 불러 롯트번호에 대한 재확인 작업을 벌이기 시작했다.

문제는 행사전날 실시한 탄약고 안전조치였다. 나는 탄약담당관들과 각급부대에서 보유하고 있는 모든 탄약에 대한 안전조치 임무를 수행했다. 내가 안전조치 해야 탄약은 개략적으로 170여만 발이었다. 그중에 봉인된 탄통은 그대로 수량만 확인했지만 각 부대별 낱개 단위로 탄통에 보관된 것만 해도 수 만발은 되었기 때문에 모든 탄통의 100% 실셈은 도무지 감당할 수 없었다. 그래서 탄약담당관들이 자체 점검하고 숫자를 기록해 놓은 탄통을 무작위로 50%만 선별해 실셈하는 방식으로 점검했었다.

그날 저녁 6시가 되어서야 겨우 끝낼 수 있었고 손에서 쇠 냄새가 날 정도로 힘이 들었는데 우리부대 탄약인지, 어떤 탄약인지, 탄약의 상태는 어떤지 확인되지 않아 걱정이 태산이었다. 경호경비에 있어서 당일 주변에 탄약이 발견된 자체만으로도 큰 경호위해요소이기 때문에 오늘 국군의 날 행사가 어떻게 진행되는지도 궁금했지만, 무전기 키 잡는 소리만 들어도 가슴이 철렁거릴 정도로 긴장되고 걱정스러웠다.

어찌되었건 행사는 이상 없이 종료되었고 대통령 내외분이 탑승한 헬기가 이륙한 뒤 유기탄 관련 소식은 하나씩 확인되기 시작했다. 정확한 것은 아니지만, 과거 해군에서 사용하던 탄약이라는 소리도 들렸고 일부 롯트번호가 나왔는데 이쪽부대에서 보유한 롯트번호와는 상관이 없다는 소리도 들렸다. 일부 탄약은 부식

될 정도로 오래된 탄약이라는 것 등등…

오늘처럼 긴 하루를 보낸 적도 없었다. 하루 종일 머릿속은 복잡하게 뒤엉켰던 것 같다. 지역 내에서 발견된 유기탄에 나는 왜 그렇게 긴장하고 마음 졸였을까? 내가 부여받은 모든 탄약에 대해 100% 실셈하지 못했기 때문에 긴장하고, 걱정하고, 별별 상상을 다 했을 것이다.

무거운 책임감

군인은 기상하면 아침점호를 취한다. 그때 애국가 4절을 부르고 국군의 이념과 국군의 사명을 큰소리로 외친다. 「국군은 국민의 군대로서 국가를 방위하고 자유민주주의를 수호하며 조국의 통일에 이바지함을 그 이념으로 한다」그리고 「국군은 대한민국의 자유와 독립을 보전하고 국토를 방위하며 국민의 생명과 재산을 보호하고 나아가 국제평화의 유지에 이바지함을 그 사명으로 한다」를 수없이 외치다보면 점점 무거운 책임감을 느끼게 마련이다.

오래전 군대생활을 했던 사람들은 요즘의 軍을 걱정스런 눈으로 바라보는 것 같다. "온실 속에서 자란 병사들이 전쟁은 할 수 있을까?", "군대에서 군대 냄새가 나질 않는다."며 요즘 군기가 너무 빠졌다고 걱정한다. 그도 그럴 것이 예전에는 다림질한 군복을 입고 반질반질하게 닦아 광이 나는 전투화에 늘 절도 있는 태도를 보였었다. 그런데 언제부턴가 영내 밖에서는 간편복을 입기 시작했고 얼룩무늬 전투복과 광내지 않는 전투화로 바뀌면서 겉으로 군기 빠진 것처럼 보일수도 있다.

그래서 그런지 내가 전역할 무렵 한 지인으로부터 의외의 질문을 받은 적이 있다. “지금 우리나라와 북한이 전쟁을 한다면 이길 수 있느냐?”는 것이다. 나는 ‘이길 수 있다’고 단호하게 대답하지 못한 채 “이기기야 하겠지”라며 어정쩡하게 대답했다. 순간 36년 넘게 군대생활을 했던 사람으로서 부끄럽기도 했고 무한한 책임감도 들었다. 그러면서 다시 한 번 생각해 봤다.

과연 우리군은 북한과 싸워 이길 수 있을까? 세계 7위의 군사력을 보유하고 있지만 이길 수 있다고 자신 있게 대답하지 못한 이유는 무엇 때문일까, 과거 어느 대통령이 육 · 해 · 공군 장군들 앞에서 지금껏 전시작전권을 환수할 능력조차 갖추지 못한 것에 대해 심하게 질책했던 게 생각난다. “작전권 환수를 하겠다고 했더니 그동안 국방부장관, 합참의장, 참모총장을 했던 예비역장군들이 ‘지금은 시기가 아닙니다’라고 반대하는데 그렇다면 당신들은 지금까지 뭐했느냐?”며 소리 지르던 모습이 생생하다.

그렇지만 난 군대를 믿는다. 군인은 위기상황이 닥치면 그 어떤 위협도 물리칠 수 있는 저력을 지녔기 때문이다. 이 땅에서 다시는 전쟁이 일어나지 않도록 철저히 대비하는 군을 응원한다.

언제나 군인

군대의 독특한 환경에서 생활해서인지 직업군인들은 전역을 하고난 뒤에도 쉽게 변하지 않는 것 같다. “아닙니다”, “예 그렇습니다” 등 간결하고 투박한 어법이나 지시위주의 말투로 군인출신이란 게 금방 밝혀지기 마련이다. 나도 약속시간을 칼같이 지키는 편이지만 제대군인들끼리 식사 약속을 하면 코리언타임은 거의 없다.

제대군인들끼리 모이면 저 멀리서 거수경례를 하고 군복무당시 계급을 부르는 사람들도 허다하다. 그래서 나는 예비역들에게 “우리 이제 군인에서 전역 좀 합시다”라며 군인의 틀에서 벗어나 자유로운 인간으로 그리고 민간인들과 어울리며 살아가자고 제의하는 편이지만 쉽지 않은 게 사실이다. 그런데 그들은 또 항변한다. “민간인들과 이야기를 하다보면 말이 안 통한다”는 것이다. 지금까지 군인으로 살아온 의식과 정서가 하나로 될 수 없다는 것이다. 맞는 말인지 모른다. 군인들은 뚜렷한 계급사회에서 엄격한 통제를 받으며 살아왔기 때문에 그 틀을 벗어나기는 어려워 보인다.

나도 전역한 뒤 한 번도 길러보지 못한 머리를 길러보겠다며 몇 달 동안 자르지 않고 파마도 해보았다. 평생 짧은 머리를 하던 사람으로서 무척이나 힘든 일이었다. 기르다 자르기를 몇 번 반복하다가 결국 또 짧은 머리로 돌아갔다. 군인들은 머리를 마음껏 길러보는 별것도 아닌 로망을 갖고 있는 것 같다. 다른 사람들도 제대 후 머리를 기르고 장발로 다니는 사람들이 더러 보였다. 긴 머리카락을 뒤에서 묶어 꽁지머리를 하고 다니는 사람도 있었고 파마를 해서 꼬불꼬불한 머리를 뒤로 넘기며 폼 잡는 사람도 있는데 군대 생활하는 동안 머리를 길러보지 못한 아쉬움을 마음껏 누려보는 것이다.

군인으로 평생 살던 사람들이 전역한 뒤에는 오페라 가수로 변신해 이곳저곳 공연을 다니는 사람도 있고 인물화나 삽화를 그리는 사람들, 상모에 연 꼬리 같은 긴 종이 띠를 달아 이를 돌리면서 꽹가리를 치는 풍물단 활동을 하는 사람들, 색소폰을 불며 공연을 다니는 사람들, 골프에 빠지더니 전국적으로 대회를 다니는 사람들을 보면 그동안 그 많은 끼를 어떻게 억누르며 살았는지 짐작이 간다.

군인의 굴레

나는 죽마고우 친구들과 간혹 술자리를 갖는 편이다. 고향친구들이라 이해관계도 없다보니 그냥 정치하는 사람들 욕도 하고, 요즘 세상 돌아가는 걸 안주삼아 술잔이 오갔다. 모두 은퇴이후 2선으로 밀려난 씁쓸함도 나누고 나이 어린 상급자들과 부딪치면서 느끼는 자존심 구기는 이야기도 서슴치 않고 쏟아내기 시작한다.

술이란 원래 그런 건지도 모른다. 직장인들의 술자리에서는 윗사람을 자주 술안주로 올려 비난과 욕을 퍼부으며 속상해서 한잔, 화가 나서 한잔 연거푸 술을 들이킨다. 옆에 친구 한명이 직장 상사 때문에 스트레스를 받는다고 하면 그 상사는 모두의 적이 되어 집중 포화를 퍼붓는다. 주공과 조공이 날아들다 보면 그 친구는 마음의 위안을 삼게 되니 늘 술자리는 시끌 법석하고 술잔이 더 늘어날수록 목소리 높여 주 타깃을 집중 포화로 날려버린다. 술잔을 나누면서 하소연해본들 문제가 해결된 것은 하나도 없다. 그런데 속이 시원함을 느낀다. 그만큼 스트레스는 해소되고 있다고 믿는 것이다.

얼마 전 친구들의 술자리에서 한 친구가 하소연을 쏟아내기 시작했다. 그 친구도 젊을 때는 그럴듯한 직장에서 근무했지만 지금은 공공기관의 조경관리를 맡고 있다. 공공기관 사람들에 비하면 허드렛일처럼 느껴지는 하찮은 일이고 책임감도 없는 일이다. 그 일을 감독하는 상급자는 자기를 얕잡아 보는 것 같아 간혹 모멸감을 느낄 때가 많다고 했다. 때론 직원들 사이에서 투명인간 취급으로 무시당하기도 하고, 젊은이들과 싸잡아 질책할 때는 자존심 상할 때가 많다고 했다.

자식 같은 사람이 반말도 아니고 존댓말도 아닌 말투에 화가 나고 당장 그만두고 싶지만 그럴 수도 없으니 이런 저런 스트레스를 받는다고 했다. 우리는 술잔을 들면서 "뭐 그딴 자식이 있냐? 형편없는 놈이네"라며 친구 편을 들어주고 "야, 직장생활이 다 그런 거 아니겠냐, 그냥 술 한 잔 하면서 잊어버려!"하면서 술잔을 부딪친다. 술병이 비워지고 또 비워진다. 직장인의 애환은 상사에게 대꾸하지 못하다보니 스트레스가 쌓이는 것이다. 그렇다고 쉽사리 사표를 던질 수도 없으니 술 한 잔 하면서 그 일를 잊고 싶은 것이 아닐까?

친구들과의 술자리가 길어지자 얼굴이 벌건 녀석, 한 말 또 하는 녀석, 테이블에 이마를 박고 있는 녀석, 취기로 모두 얼큰한 상태가 되었다. 약장수란 별명을 가진 활달한 성격의 한 친구 녀석이 느닷없는 제안을 했다. "친구들아. 우리 산악회 한 번 가지 않을래?" 그러자 옆에 벌건 녀석이 "야, 자다가 봉창 두드리는 것도 아니고 도대체 뭔 소리야?"라며 타박을 한다. "그거 있잖아. 몇 번 가봤는데 엄청 재밌어. 내가 갔다 온 이야기 한번 들어봐."

그러자 나도 궁금했지만, 친구들도 순간 그 녀석을 주목했다.

그 녀석의 구수한 이야기가 시작됐다. "일단 산악회 버스를 타잖아. 그러면 함께 온 일행들이 옆 사람과 한참 이야기를 나누거든. 그러는 사이 주선자는 인원수 파악을 하고 어느 정도 탔다 싶으면 버스가 출발해. 버스 앞에 목적지도 붙어 있고 사람들도 등산복 차림이라 여느 산악회 버스랑 별 차이가 없어 보이지!" 한 녀석이 툭 끼어들며 "뭐 별거 아니네!"라고 한 마디 던진다. 발끈한 약장수 녀석은 "아니, 더 들어 봐"라며 또다시 입을 열었다.

차를 타고 30분정도 지나면 휴게소에 도착하고 주선자들은 짐칸에서 박스를 꺼내 즉석에서 아침식사를 나눠 준다. 식사라고 하지만 일회용 접시에 콩이 듬뿍 들어간 찰밥과 김치 등 반찬 한두 가지가 전부이다. 함께 온 친구들이 옹기종기 모여앉아 밥을 먹고 버스는 다시 목적지로 향한다. 이때부터 마이크를 잡은 주선자들의 움직임이 또 바빠지기 시작한다고 했다.

앞자리부터 술잔을 돌리기 시작하고 한 명은 안주 접시를 들고 그 뒤를 따른다. 여기서 술을 먹는 사람과 안 먹는 사람을 구분하지도 않는 것 같고 무조건 종이컵에 소주 한잔씩 건네주고 빨리 먹으라고 다그친다. 차량안의 분위기가 술을 마시지 않으면 안 될 것 같고 앞사람이 완샷하는 걸 보기도 하지만 주선자의 홀림도 한몫 한다. "여행을 다닐 때는 한잔해야 산과 들도 아름답게 보이고 옆 사람과도 친해질 수 있다"며 바람을 잡다보니 누구나 망설임 없이 따라준 소주를 완샷하게 된다.

그렇게 술잔이 한 바퀴 돌고나면 차량안의 분위기는 훨씬 달라진다고 했다. 그때 주선자가 마이크를 잡고 자리배치를 다시 해준단다. 다소 낯설긴 하지만 대부분 주선자의 뜻에 따르고 어색한 자리가 만들어진다. 서로가 어색하다고 느낄 때쯤 버스기사는 차량을 좌우로 흔들어 댄다. 차가 흔들릴 때마다 옆 사람과 살짝살짝 몸이 부딪친다. 몇 차례 흔들고 나면 웃음소리도 들리고 여기저기서 이야기 소리가 들려오기 시작한다고 했다. 그런 여행은 우리가 말하는 속칭 「묻지마 관광」인데 그 친구는 묻지마 관광이 아니라 그런 설렘을 즐기는 사람들이 종종 있다며 약장수 말하듯 했다.

나는 약장수 친구 녀석의 말이 다른 나라 말처럼 들렸다. 말로만 듣던 묻지마 관광을 내 가까운 친구들이 스스럼없이 다니고 있다는데 놀라지 않을 수 없었다. '저렇게 해도 되는 건가' 싶었다. 옛날에도 친구들로부터 여자 친구를 소개시켜 주겠다는 제의를 받은 적 있었지만 거절했었다. 그때도 친구는 나에게 "넌. 코앞에 데려다 줘도 안 되겠구나!"라고 말한 적이 있었다.

그때 테이블에 이마를 박고 있던 친구 녀석이 느닷없이 "우리 한번 가볼까?" 호기심을 보이기도 했고, 얼굴이 붉어진 녀석은 히득거리며 "어디까지 가는 거냐?"며 한술 더 뜨기도 했다. 그렇지만 그 친구들이 정말 가고 싶어 그런 건 아니란 걸 난 알고 있다. 그래서 "야, 어색하게 뭘 그런 데를 가냐?"고 했더니 한참 약을 팔던 친구가 "너는 아직도 군인이냐?, 이제 전역을 했으니 민간인처럼 살아 봐"라고 충고해 준다. 우리는 그냥 히히대며 "야, 술이나 한잔 더 하자"며 술잔을 비웠다. 친구의 눈에도 군대생활을 오래 한 사람들은 늘 고지식하고 답답해 보이는 모양이다.

밥 그릇

나는 군을 전역하면서 곧바로 일자리를 잡았다. 그것도 자원봉사센터라는 곳이라 거의 공공기관이나 다름없다고 생각했다. 서류 심사와 면접을 거쳐 합격통보를 받고 난 뒤 자원봉사센터가 무엇을 하는 곳인지, 지휘체계나 업무수행체계는 어떻게 이루어지는지, 혹시 보수는 얼마나 되는지 알아보기 시작했다. 내가 자원봉사활동을 좋아했기 때문에 군 생활하면서도 지역 내 저소득계층의 집수리를 돕는 참사랑봉사단에서 활동했었고, 동네 등산로 청결활동을 하는 산림보호협의회에서 오랫동안 봉사활동을 했었다. 공로연수가 시작되자마자 가장 먼저 시작했던 것도 세종시 자원봉사센터를 찾아가 소양교육을 받고 봉사활동을 시작했기 때문에 내가 할 수 있는 가장 적합한 일이라 생각했다. 무엇보다 보람형 일자리라는 게 마음에 들었었다.

막상 자원봉사센터에 취업을 하고 한 달이 지나면서 새로운 면을 알게 되었다. 직원들 가운데 정식 편제직위가 있고 코디라는 분야로 나뉘어 급여체계가 달랐다. 편제직위는 인건비 가이드라인에 의해 인건비가 책정되고 코디는 월 일정액의 고정금액이 지

급되다보니 한 사무실에서 함께 근무하지만 기본급과 수당의 기준이 각각 달랐다. 나도 내가 생각했던 것보다 또 다른 사업관련 직위로 구분되어 임금체계가 또 달랐다. 언론에서만 듣던 정규직과 비정규직, 회사와 자회사처럼 다르다는 걸 처음 실감하게 되었다.

직책도 몇 단계로 나눠지지만 계급사회인 군에서보다 훨씬 융통성이 없고 빡빡하다는 걸 깨달았다. 직책 높은 사람들의 위세가 얼마나 높은지 놀라지 않을 수 없었다. 군인이었던 내가 볼 때는 별것도 아닌 끗발을 가지고 위세를 부리는 모습이 좀 우습긴 했지만 사회의 새로운 모습을 경험하기 시작했던 것 같다.

사회에서 밥그릇 싸움은 치열하다는 걸 느꼈다. 군에서는 직원들간 대리근무 체제를 갖추고 옆 사람이 휴가나 출장 시 아주 중요한 일이 아니고는 대부분 대리 수행한다. 그래서 A4용지에 주간계획과 월간계획을 만들어 각 직원들간 공유해 왔다. 군에서 전역한 뒤 처음으로 들어간 곳인데 직원 상호간 무슨 일을 하는지 전혀 알 수 없었다. 각자 상급자에게 보고하고 수행하면 그만이었고 대리근무라는 것도 거의 없었다. 난 용기 내어 "우리 직원별 주간예정사항을 만들어 공유하는 건 어떠냐?"고 제의했다. 직원들은 물론이고 상급자도 시큰둥한 반응이었고 검토는커녕 논의조차 나눠보지 못한 채 그냥 넘어가 버렸다.

그런 가운데 사무실에 젊은 직원이 새로 들어 왔는데 일 년도 안돼 이직을 고려하고 있는 것 같았다. 이유를 묻자 비전이 없다는 것이다. "선임자가 업무를 부여해 주지도 않고 가르쳐 주지도 않은 채 허드렛일만 시키다보니 배울게 없다"는 것이다. 그뿐 아니라 "몇 년을 더 근무한다한들 업무를 익힐 가능성이 희박하다"

는 것이었다. 그 이유는 자기의 밥그릇을 빼앗기지 않으려는 몸부림으로 비춰졌다. 내가 아니면 이 일을 아무도 하지 못한다는 인식을 심어주고, 내가 하는 업무를 남이 할 수 없도록 하는 게 소위 밥그릇 지키기라고 믿는 것 같았다. 나중에 다른 사회복지법인으로 자리를 옮겼지만 그곳도 밥그릇 싸움은 여전하다는 걸 느낄 수 있었다.

언젠가 빌딩관리 책임을 맡고 있는 고등학교 동창도 비슷한 말을 한적 있었다. 수많은 입점업체들에 부과하는 관리비 산정 시스템을 USB에 담아 혼자 소지하고 다닌다고 했다. 그러면서 "이렇게 하지 않고 누구나 할 수 있으면 언제 내 밥줄이 끊길지 모른다"고 하는 걸 들었는데 지금 와서 생각해보면 어느 정도 실감난다.

냉혹하고 섬뜩한 현실

그렇듯 사회생활은 생각보다 훨씬 냉혹하다는 걸 느낀 또 하나가 생각났다. 몇 년 전 내가 10여 년간 키운 이팝나무를 시집보낼 때 일이다. 아침 일찍 밭에 나가 인부 4명을 맞이했다. 50대 후반으로 보이는 반장이란 사람이 거친 말투로 업무지시를 했다. "나는 일하는 걸 터치하지 않는다. 개인별 다섯 그루씩 분을 뜨고 나서 담배를 피우던 휴식을 하던 상관하지 않을 테니 알아서 일해~"라고 반말로 이야기했고 60대로 보이는 인부들은 아무 말도 하지 않은 채 흩어져 땅을 파기 시작했다.

한 아저씨가 분뜨기 작업을 마치고 나무를 구덩이에서 혼자 들어 올리려고 힘을 써보지만 좀처럼 들리지 않았다. 그 분은 몇 번을 시도하다 도저히 들어 올리지 못하자 반장이란 사람에게 도움을 요청했다. "반장님! 반장님!"하고 두 번을 불렀다. 반장은 들은 체도 하지 않고 쳐다보지도 않았다. 반장은 그 사람이 왜 자기를 부르는지 다 알고 있는 눈치였지만 아무런 대꾸도 하지 않는 것 같았다. 농원에 몇 초의 시간이 흐르고 반장이란 사람은 그 아저씨를 쳐다보지도 않은 채 퉁명스럽게 한마디 던진다. "그러니까 분을 작게 떠야지. 어떻게 하려고 그래?"라며 핀잔을 준다. 그러자 그 아저씨는 "그러니까 사수와 조수가 다른 거지!"라며 차에 있던 밴드를 가져다 나무의 밑 부분을 휘어 감는다. 그러자 반장은 그곳으로 다가와 둘이 단숨에 들어 올렸다.

옆에 있던 또 다른 인부 한명도 분을 떠놓고 그 자리에 둔 채 다른 나무의 분뜨기 작업을 시작했다. 그러자 반장은 "나무를 밖으로 들어 내놓고 팠던 자리를 메워야지!"라고 퉁명스럽게 말한다. 그 인부도 나무를 들어올리기 위해 몇 차례 힘을 써보지만 아무도 도와주지 않았다. 그 인부도 "아이고 죽겠네!"라며 긴 한숨을 내쉬고 겨우 들어 올렸다.

나는 막노동을 하는 사람들은 힘든 일을 하지만, 일을 마치고 대포한잔씩 나누는 걸 자주 봐서 그런지 인정은 많을 것으로 생각했는데 그 속을 들여다보니 섬뜩하고 살벌하기 짝이 없었다.

할머니는 내 친구

나는 독거노인들의 묵은 이불을 무료로 세탁해 주는 사회복지사로 일하고 있다. 2.5톤 이동세탁차를 가지고 아파트나 자연부락을 순회하면서 무거운 이불이나 카펫 등을 세탁해 드리는 일이다. 이동세탁차는 물탱크가 있고 발전기와 펌프, 순간온수기와 네 대의 세탁기가 장착된 특장차다. 처음 이 일을 시작할 때는 트럭운전도 처음이었고 기계 조작도 문외한이라 무척 당혹스럽고 난감한 일을 겪기도 했다. 그도 그럴 것이 집에서 세탁기 한번 돌려보지 않았으니 작동법도 모르고 어떤 세제나 섬유유연제를 써야 하는지 아무 것도 모른 채 일을 시작했다.

이동세탁은 늘 자원봉사자들과 함께 다니기 때문에 여성들을 이해하는 것도 쉽지 않았다. 여성들과 말하는 것도, 여성들의 점심을 챙겨주는 것도, 봉사자들과 서로 얽히고설킨 감정들 때문에 늘 조심스러웠다. 그렇지만 자원봉사자들과 시골마을 구석구석, 작은 규모의 아파트, 도심지 쪽방촌 부근에 옹기종기 모여 있는 사람들을 찾아다니며 이불세탁을 해주다보니 보람을 느낄 때도 많지만 간혹 이기적이고 밉상인 할머니들 때문에 스트레스를 받는 경우도 있기 마련이다.

한 마을에 봉사활동을 나갔는데 비교적 젊은 아주머니가 이동세탁차 주변을 맴돌다 살며시 이불보따리를 내려놓기에 아주머니를 불러 따져 물었다. “무료 이동세탁 대상은 장애인이나 거동이 불편한 분 또는 독거노인이어야 하는데 혹시 해당되는 게 있느냐?”고 물었더니 “우리 집 수도가 고장 나서 세탁을 못하고 있으니 해주세요.”라고 단호하게 말하고는 “이것도 시청에서 예산지원을 받을 테니 우리 같은 사람들 해줘야 되는 거 아닌가요?. 시청에 전화해 볼까요?”라며 협박하듯 말했다. 결국 세탁해 주었지만, 우리는 이불이나 카펫만 세탁해 주는데 이불보자기 속에는 속옷부터 의류, 수건까지 다 들어 있었다. 그 모습을 본 노인회장이 “저 사람은 노인회원도 아니면서 설거지나 빨래도 노인정 외곽 수도를 쓰는 얌체 같은 사람이에요. 절대 해주지 마세요”라고 실랑이를 하는데 참 난감하지 않을 수 없었다.

어떤 할머니는 자신이 가져온 이불보따리를 보고도 내 것이 아니라며 “내 이불은 어디 갔느냐?”고 말씀하셔서 당혹스러운 적도 있었고, 어떤 할머니는 자신의 더럽혀진 이불을 가리키며 “내가 가져올 때는 깨끗했는데 누가 이렇게 만들었느냐?”며 신경질을 내는 일도 간혹 발생한다. 그뿐 아니라 이불보따리를 늦게 가져와서 앞에 슬며시 놓고 가는 사람도 있고 또 어떤 사람은 “나는 저소득 계층이라 정작 우리를 도와줘야 하는데 왜 살만한 저 사람을 먼저 해주느냐?”며 화를 내고 짜증을 부리는 경우도 허다하다. 동네를 다니다보면 늘 밉상 할머니들이 있기 마련이다.

그렇지만 늘 그런 건 아니다. 연세 드신 할머니들은 인정이 많다. 인생을 오래 살아 많이 농익어가는 할머니들이 내 손님이고 친구이며 스승들이다. 나는 그 선생님들로부터 많은 것을 배웠다. '고맙다', '감사하다'는 인사말의 진심과 진정성을 느낀 것도 큰 소득이었고 작은 것도 나눠 줄줄 아는 인정을 알게 되었다. 나이 들면 욕심이 생기는 법인데 무엇 하나 내주려고 애쓰는 모습이 내 마음을 배부르게 했다.

간혹 유통기간이 한참 지난 걸 주기도 하지만, 냉장고에서 꺼내주는 요구르트나 주스, 두유 같은 것들이 얼마나 아껴놓은 음식일까 생각하면 고맙기 그지없다. 계란을 삶아오고 부침개를 부쳐오는 분들도 늘 "줄게 이거밖에 없어"라며 가져다주고, 시골농부는 밭에서 무나 상추를 한 움큼 건네주면서 "내가 줄건 이게 다야, 미안해"라고 하는 그분들의 눈빛에는 진정으로 고마워하는 걸 느낀다. 유모차에 의지해 걷는 할머니들이고 허리가 굽어 땅바닥을 쳐다보고 다니는 사람들이라 집에서 이불빨래를 한다는 것은 엄두도 내지 못할 일이다보니 더욱 고마워하는 것 같다.

추운겨울날 따끈하게 데운 쌍화탕이 식을까봐 신문지로 돌돌 말아 품안에 가지고 오신 할머니, 이불을 들고 집에 배달해 널어드리자 냉장고에서 꺼내준 브라보 콘을 차안에서 먹으며 더위를 식히던 추억들, 명절 때 제사지내고 남은 건데 퇴근 후 먹으라며 건네주는 소곡주도 넘치는 정이다.

세상을 오래살고 경험이 많은 만큼 내게 툭툭 던지는 말 한마디도 내겐 큰 선물이다. 한 할머니는 "선생님 이렇게 좋은 일하는데 늙지 마세요"라고 하기에 난 "내가 안 늙으면 손자가 크지를 못해요"라고 했더니 맞는 말이라며 소리 내어 웃으셨다. 그분은 또 한마디 했다. "나이 들어 얼굴에 분칠을 해대지만 그래도 못생긴 젊은이를 따라가지 못하는 게 인생이고 나이라네" 그러는데 깊이 공감했다. 95세 할머니 한분이 내게 말했다. "선생님 어머님은 참 착한 아들을 두었네"라고 하기에 난 이유를 물었다. 그랬더니 그 분은 "노인들 눈높이에 맞추려고 무릎 꿇고 이야기하는 사람도 드물고, 노인들과 자상에게 이야기 나눠주는 사람도 구경하기 힘들어"라고 하는데 그냥 뭉클했다.

내가 이불세탁을 해주기 시작한지 9년이 되었다. 내가 세탁해 주는 이불은 굽은 허리와 뒤틀어진 손가락으로 종일 논과 밭에서 일하며 쌓인 피로를 말끔히 풀어줄 수 있도록 뽀송뽀송하게 만들어 준다. 할머니 댁에 놀러온 어린 아이들에게는 잠들기 전 그 속에서 몸을 비틀고 휘어 감으며 장난치던 추억의 장소가 될 것이다. 그뿐 아니라 누군가에겐 벌거벗은 맨살로 포근한 촉감을 느끼며 뜨거운 사랑을 나누었던 곳이기도 했을 것이다. 밤낮으로 펴놓고 때론 낮잠 자고 밤새 뒤척이며 새우잠 자느라 낡고 헤어진 이불을 깨끗하게 빨아줌으로써 편안한 잠자리를 할 수 있게 해준다는데 큰 보람을 느낀다.

시골마을을 다니다보면 늘 보이던 할머니들이 하나둘씩 보이질 않는다. 물론 돌아가신 분들도 있고 대부분 거동이 불편해 요양원이나 요양병원에 입원하신 분들이 부쩍 늘어난 것 같다. 그만큼 긴 세월이 흘렀다는 것을 말해준다. 나에게도 변화가 생기고 있다는 걸 간혹 느낀다. 일에 대한 매너리즘에 빠져드는 것 같기도 하고 사무실은 어느새 젊은이들로 채워지는 듯 하더니 간혹 소외감을 느끼기도 한다. 일하는 속도도 늦어지고 말귀를 잘 못 알아듣는가 하면, 젊은이들과 소통이 원만하지 못하다보니 거리감도 생기는 것 같았다. 무엇보다 나의 존재감이 떨어지는 걸로 보아 떠날 때가 되어가는 모양이다.

그런데 며칠 전 봉사활동을 나갔다가 또 가슴 아픈 일을 겪었다. 우리가 정기적으로 이불세탁을 해드리는 91세 독거어르신의 이불을 수거해야 하는데 내가 시간이 없어 자원봉사자를 통해 이불보따리를 수거해 왔다. 그런데 한참 시간이 지난 뒤 그 할머니에게서 전화가 걸려왔다. "이따 세탁물 가져올 때는 선생님이 직접 가져다 널어 주세요"라는 것이었다.

난 세탁한 이불을 가져다 그 분의 아파트 베란다와 안방에 놓인 건조대에 널어드리고 나오는 길이었다. 갑자기 내 주머니에 뭔가를 쑥 넣어주는데 직감적으로 돈을 주는 것 같아 정중하게 거절했다. 절대 받을 수 없으니 마음만 받겠다며 설득하고 만류했지만 막무가내였다. 나는 할머니 손을 뿌리치고 빠르게 현관문을 나오는데 문 앞까지 따라와 내 옷을 잡고 늘어졌다. 다시 한번 간곡하게 설명하고 도망치듯 복도를 걷는데 거동이 불편하고 바람만 불어도 넘어질 것 같은 할머니가 빠르게 따라왔다.

엘리베이터의 문이 닫히는 순간 봉투를 안으로 던졌다. 나는 다시 문을 열고 돈이 든 봉투를 밖으로 내던졌다. 그러자 할머니는 엘리베이터 버튼을 눌러 다시 봉투를 던졌다. 내가 또다시 밖으로 내던지자, 할머니는 "내 말 좀 들어!"라고 소리치는데 아주 간곡한 외침이었다. 이상한 생각이 들어 엘리베이터 밖으로 나가 할머니의 말씀을 들어보기로 했다.

할머니는 긴 한숨을 내쉬고 말씀하기 시작했다. “내가 몸이 너무 아프고 거동이 힘들어 자식들과 상의한 끝에 요양원에 들어가기로 했어. 그래서 이번 빨래가 마지막이 될지도 모르거든” 그러는 것이었다. 그러면서 “그동안 몇 년째 나를 돌봐준 선생님께 따뜻한 밥을 한 끼 해주고 싶은데 그러기도 그렇고, 식당에 가서 사주자니 안 먹을 것 같아 밥 한 끼 사먹으라고 이렇게라도 하고 싶어 준비해 뒀다”고 하는데 가슴이 먹먹해졌다.

내가 염치없고 송구스럽다며 또 한 번 사양했지만, 할머니는 목맨 소리로 “내가 살아야 얼마나 살겠어. 그냥 천당 잘 가기를 빌어 줬으면 좋겠어”라고 말씀하셨다. 나는 더 이상 할머니의 마음을 거절할 수 없었다. 그리고 며칠 뒤 먹을 걸 조금 준비하여 할머니 집을 다시 찾아갔다. 신체적 우울증으로 온몸에 통증이 심해지고 집안에서도 자주 넘어지다 보니 요양원에 갈 수밖에 없다고 말씀하시는 모습이 너무도 의연해 보였다. 지금 서류를 준비하고 날짜를 기다리는 중이라는데 혼자서 마음의 준비를 하고 계신 할머니를 보니 돌아오는 발걸음이 너무도 무거웠다. 그러면서 우리 어머니가 떠올라 내 마음이 저려온다.

어머니

어머니가 요양병원에 입원한지 벌써 3년째 되어간다. 시골집에 혼자 지내시다 허리를 다쳐 거동을 하지 못하는 바람에 병원신세를 지고 말았다. 87세의 나이라 간혹 가스에 올려놓은 냄비를 태워먹는 일이 있었고 지난 일을 잘 기억하지 못하는 알츠하이머를 앓고 계시기는 했지만, 혼자서 잘 지내는 편이었다. 병원에서 "우리가 치료할 것은 다 했고, 요추골절은 한참동안 누워 지내야 하니 재활병원이나 요양병원에서 치료받는 게 좋겠다"고 하는 의사선생님의 말을 듣는 순간, '이제 올 것이 왔구나!' 생각이 들어 다리에 힘이 쭉 빠졌다.

형제들이 모여 논의도 해봤지만 뾰족한 수가 없었다. 더구나 골다공증이 심각해 잘못하면 허리를 아예 못 쓰는 일이 벌어질 수 있다는 의사선생님 말씀에 모두 겁을 잔뜩 먹었다. 그러다보니 모시겠다는 사람도, 24시간 돌봐줄 사람도, 대소변을 받아줄 사람은 아무도 없었다. 나는 쉽게 결정할 수 없어 고민 속에 빠져 며칠을 지냈다.

어머니를 주간보호센터로 모실까?, 집에 요양보호사를 모셔 올까?, 내가 직장을 그만두고 직접 모실까? 고민하다 결국 주변 요양병원으로 모시게 되었다. 매사 긍정적이고 무던한 성품이지만 병원생활에 적응하는 것은 쉽지 않아 보였다. 코로나 19 확산으로 창문사이로 면회하다가 아예 면회 금지가 내려지자 어머니는 심적으로 더욱 힘들어 하는 것 같았다.

면회를 가거나 전화를 하면 "병원이라서 따뜻하고 때 되면 밥 주고 씻겨주는데다 간호사 선생님들이 워낙 친절하게 잘 해줘"라고 말씀하셔서 잘 적응하는가 싶다가도 문득 전화해서 "언제까지 여기 누워만 있어야 하니?", "언제 집에 데려다 줄거니?"라고 하면 속이 타들어간다. 언젠가 전화벨이 울려 받아보니 어머니였다. "너 지금 어디니?, 내일 준비하고 있을 테니 태우러 와!"라고 말씀하시는데 내 가슴이 덜컥 내려앉았다. 치매증세가 심한 날은 더욱 그런 것 같았다. 나는 한참동안 죄책감에 시달리며 잠을 이루지 못했다.

우리 어머니는 장남 바라기였다. 집안일이나 동네 일이 생기면 항상 나와 상의했고 돈이 들어가는 일도 꼭 나를 찾았다. 매주 찾아갈 때마다 내 얼굴을 빤히 쳐다보고 "너 왜 그렇게 핼쑥하니?"라고 묻거나 "너는 아프면 안 되니까 혈압약 꼭 챙겨먹고 어디 조금이라도 이상하면 병원에서 검사를 받아 봐!"라고 당부하신다. 어머니에게 있어 난 교주와 다름이 없었다. 그런 어머니를 생각하면 죄스럽고 한없이 부끄럽다.

그럼에도 불구하고 나는 동네 노인들의 이불빨래를 해주러 다니니 그 또한 마음이 편치 않았다. 내 사정을 아는 사람들이 내 뒤통수에 대고 "자기 어머니도 못 모셔 요양병원에 보내놓고 누구 이불세탁을 해주러 다녀!"라고 할 것 같고, "위선자 아니냐?"라고 하는 것 같아 한동안 힘든 나날을 보냈었다. 그렇지만 '내가 집에서 모신들 더 잘 모실 수 있을까?' 되뇌며 위안을 삼아보곤 한다. 엄마. 미안해요!

장남의 무게

나는 우리 집 3남 3녀 중 장남으로 태어났다. 위로 누나 한명이 있는데 우리 둘은 장남과 장녀로서 무거운 짐을 짊어지고 살아온 것 같다. 맏이인 누나는 가정형편이 어려워 초등학교를 졸업하고 생활전선에 뛰어들었다. 가발공장과 방직공장을 다니면서 부모님을 도왔고 내 학비를 보태준 고마운 사람이다. 내가 마흔이 넘어 야간대학을 다녔듯 누나도 결혼하고 조카들을 다 키우고 난 뒤 환갑이 넘은 나이에 올드스쿨에 다니며 중학교와 고등학교를 다니는 모습을 지켜보면서 장녀란 무게감을 느낄 수 있었다.

물론 장남인 나도 마찬가지다. 우리 집은 농사가 주업이지만, 소도 몇 마리씩 키웠고 누에를 키우거나 양계장을 하기도 했으며 양말 가내 제조업을 하기도 했다. 집 한 구석에 점빵을 열어보기도 했고 딸기농사를 짓기도 했지만 집안 형편은 크게 나아지지 않았던 것 같다. 할머니가 스물여덟 살 무렵 만주로 떠났던 할아버지가 돌아가시면서 우리 집의 기세는 곤두박질쳤다고 했다. 그러다보니 난 어려서부터 집안일을 도와야 했다. 농사철에 논과 밭에 나가 일손을 돕는 것은 물론이고 산에 올라가 땔감 나무를 해야 했고, 산과 들에 나가 소먹이 풀 한 짐을 해 와야 저녁을 먹을 수 있었다. 그때도 내 어린마음에 소를 저수지 뚝방에 풀어놓고 책을 보거나 하모니카를 부는 친구들이 제일 부러웠다.

어렸을 때 집에 손님이 오면 아버지는 장남이라며 인사를 시켰고 친척집을 방문할 때도 꼭 대동하고 다니면서 얼굴을 알렸다. 그래서 외가에 가든 할머니의 친정을 가든 나는 함께 따라다녔고 친척들에게 인사를 했다. 그때는 아무 것도 모른 채 따라다녔지만 나이를 먹다보니 그런 것도 다 부담으로 다가오는 것이었다. 할머니 조카가 며느리를 얻는다는 연락이 오고, 어머니의 친정 사촌이 사위를 본다고 청첩이 오면 우리 집의 대표로 안 갈수 없다. 어머니의 이종사촌이나 육촌 그리고 할머니의 친정동네 먼 친척의 부고에도 다녀와야 한다. 한 동네에 살다 도회지로 나간 사람이 돌아가셨다는 연락이 오면 문상을 가고 동네 어르신들의 경조사에 참석해 주는 게 부모를 욕보이지 않는 것이고 우리 집안의 할 도리를 하는 것 또한 장남의 몫이다.

아버지가 돌아가셨을 때 서른아홉 살에 장례준비 및 절차를 결심해야 했고 서울에 살던 작은아버지가 돌아가셨을 때도 나는 지관을 찾아 묏자리를 잡고 산 일 준비를 해야 했다. 두 명의 아들을 모두 먼저 보낸 할머니가 92세에 돌아가셨을 때는 내가 상주 노릇을 해야 했다. 조상들의 기제사와 명절 차례는 물론이고 산소 관리도 모두 장남의 몫이라 부담이 이만 저만이 아니다. 주변에서는 장남이라고 하는 게 뭐있냐 묻는 사람도 있지만 은근 부담스런 일이 생기게 마련이다.

막내 남동생이 꽤나 큰 하우스 몇 동을 가지고 상추와 수박 농사를 짓는다. 그러다보니 새벽부터 밤늦게까지 눈코 뜰 새 없이 바쁘게 움직이고 제때 이발을 하거나 수염을 깍지 못해 텁수룩한 모습이 늘 안쓰럽다. 가격은 출렁이는데 올라가는 인건비와 박스 대금, 유통대금을 제하고 나면 본인에게 떨어지는 수익은 별로 없다. 그러니 몰골은 형편없고 몸은 고된데 살림살이는 마냥 그 자리라 형으로서 마음이 늘 아프고 안쓰럽다.

그런데 그 동생은 술을 좋아한다. 하루 일을 마치고 저녁 먹을 때 술 한 잔씩 해야 잠을 잘 잘 수 있다고 말하는 동생의 심정도 충분히 이해하고 남는다. 이웃 하우스 주인들끼리 모여 술자리를 가지면 술이 만취하는 일도 히다하고 때론 차를 운전하는 경우도 있는 것 같았다. 나는 동생이 늘 불안하고 걱정스럽기 짝이 없다. '저러다 사고라도 나면 어떻게 하나?' 또는 '그랬을 때 내가 부담해야 할 일은 어디까지일까?' 생각하면 머리가 복잡해진다. 그뿐 아니라 '아프기라도 하면 어떻게 생계를 꾸려갈까?' 별별 걱정을 다한다. 그것도 쓸데없는 걱정일지 모르지만 장남이기 때문에 생기는 부담이다.

장남 졸업

요즘은 결혼생활을 유지하기 어려울 때 이혼하지 않고 졸혼卒婚이라는 걸 한다. 부부의 연은 끊고 싶지만 자식들이 있고 사돈이 생기면 흠이 될까봐 서류상으로는 부부로 남아있고 몸은 따로 살아가는 시대가 되고 말았다. 언제부턴가 TV 드라마에서 졸혼이란 말이 나오기 시작하더니 급속도로 번지기 시작해 이제는 우리 주변에서도 흔히 볼 수 있게 된 것 같다.

우리 동네근처에 살고 있는 70대 초반의 고등학교 선배는 몇 년 전 형수님을 먼저 떠나보냈다. 그 형수는 종손 댁으로 시집와 작은 집 몇 군데를 챙겨야 했고 일 년에 셀 수 없이 제사를 지내기도 했다. 그뿐 아니라 선배님의 불같은 성격 때문에 어느 장소에서나 마음 졸이고 기를 펴 본 적이 없다고 했었다. 평소에도 목소리가 워낙 큰데다 술이라도 한잔 마시면 버럭버럭 소리를 질러 주변사람들의 손가락질도 받았던 분이다. 그래서 그런지 형수의 얼굴에는 기미와 검버섯이 가득했고 농사일을 하느라 늘 초췌한 모습이었다.

그런 형수가 돌아가신 후 2년쯤 지났을까 재혼을 했다. 새로 들어온 형수는 차분한 성격에 교회를 다니는 사람인데 선배의 태도에 조금씩 변화가 생기기 시작했다. 교회도 함께 다니고 술을 사양하는가 하면 울긋불긋한 옷을 차려입고 파크골프도 즐기기 시작했다. 그런데 올 추석 무렵 이런 말을 했다. "집 사람이 올해부터 제사를 지내지 않겠다"고 선언해서 무척 당황했지만, 그냥 "알았다고 했다"는 것이다. 난 깜짝 놀랐다. 장남이고 장손이지만 아내의 졸 제사 선언을 그대로 받아들인 것이다.

얼마 전 TV에 나온 연예인이 종가 댁 며느리로서 매년 명절준비를 해오다가 가족들에게 폭탄선언을 했다고 했다. "이번 명절은 제주도로 글 쓰러 갈 예정이라 제사를 못 지낸다"고 말한 뒤 어떤 반응이 나올지 숨죽이고 있는데 다른 사람들은 의외로 담담하게 받아들이더란다. 그래서 마음 편하게 명절 연휴를 보낼 수 있었다고 하는데 세상은 많이 변한 것이다. 곳곳에서 "나 이제 며느리 그만 할래요"라는 소리가 들리고, 어떤 여성은 "이제 엄마 그만 졸업하고 내 인생 살란다"라고 울부짖는 사람들이 늘어나고 있다. 몇 년이 지나고 나면 너나 할 것 없이 장남이고 장녀로 살아야 하니 지나친 처사는 아닌 듯싶다.

나도 가끔은 장남을 졸업하고 싶을 때가 있었다. 장남의 무게감은 부모님이 살아계실 때 쇠뇌교육을 시켜서 그런 것 같다. "넌 장남이니 참아야 한다", "넌 장남이니 동생들 챙겨야 한다", "장남이 그러면 안 된다", "너는 장남이라 동네사람들한테 욕먹는다" 등 귀가 따갑도록 들었기 때문이다. 그래서 부모님은 물론이고 형제들 그리고 가족들, 친척들에 대한 일도 그렇고 집안일이나 종중 일을 생각만 하면 그냥 머리 아프고 골치 아픈 게 장남이다.

어머니를 요양병원에 입원시킬 수밖에 없는 상황이었을 때 행여 동생들이 "아들이 세 명이나 있는데 어떻게 요양병원에 보내?"라고 하거나 "장남이 버젓이 있는데 그럴 수가 있느냐?"고 말할지 몰라 난감한 심정으로 얼버무리자 막내 동생이 "형. 그냥 요양병원에 모시는 게 좋겠어요"라고 하는데 내 마음이 큰 바윗덩어리를 내려놓는 것 같은 심정이었다. 또 할머니 기제사를 마치고 저녁을 먹으면서 둘째 동생이 "내 생각에는 이제 산소에서 간단히 절하고 끝내는 것도 좋다고 생각해"라고 말할 때도 내 마음이 편했었다. 그렇듯 나도 이제 장남이라는 굴레를 서서히 벗으려 한다.

글을 마치며

나는 이제 군인에서도, 직장에서도, 장남으로부터도
해방되고 싶다고 했다.
내게 있어 해방이란 무엇일까? 누가 해방시켜 줄 수 있을까?
과연 해방은 될 수 있을까?
오늘도 곰곰이 생각에 잠겨본다.

내가 해방되기 위해서는 꽁꽁 묶어놓고 있는
나 자신을 스스로 풀어야 한다
생기지도 않은 일이나 벌어지지도 않을 일을 구태여 상상하고
추리해서 사서 걱정하고 불안해하는 것도 이제는 그만해야 한다.

내 가슴속에 쌓여있는 고민을 친구에게 털어놓으면
속이 시원하듯 내 마음속 상처도 글로 풀어내면
조금은 후련해질 것이란 생각이 든다.

그래서, 이제는

군대생활 가운데 몸에 밴 모든 것들
직장에서 쌓여진 불편하고 뒤섞인 감정들
장남으로 살아오면서 느꼈던 무거운 짐들을
있는 그대로 하나씩 꺼내어 글로 쏟아냄으로써
내 마음속 상처가 조금이나마 치유될 수 있기를 기대해 본다.

나에게 보내는 자비로운 한 마디

이젠
천천히 여유롭게!

아름

나와 너, 너와 나

1. 고등학교 친구, 정희와 다인

나. 정희

나는 두 딸 아이를 키우면서 직장을 다닌다. 아이들이 이제는 초등학생, 중학생이라 예전보다는 조금 손이 덜 가지만 여전히 바쁘다.

남들은 내가 부지런하다지만 나는 부지런해서가 아니다. 나는 지저분한 것을 못 참는 것 뿐이다. 깨끗해야 마음이 편해지고 쉬고 싶은 생각이 든다. 회사에서 각종 업무와 스트레스로 피곤이 쩔어있을 때조차도 난 집에 오면 청소기를 꼭 돌린다. 그래야 집에서 내 마음이 안정된다.

요즘은 여기저기 아픈 데가 생긴다. 허리도 아프고 목도 뻣뻣하고 머리도 가끔 아프다. 이 정도쯤은 누구에게나 있겠지하고 무시하고 살지만 가끔은 무서운 생각도 든다. 내가 나를 너무 혹사시켰나 하지만 그 정도까지는 아닌 것 같다. 쓸데없는 기우겠지하며 내 마음을 다스린다.

우연히 우리집에서 멀지 않은 곳에 고등학교 친구 다인이가 산다는 것을 알았다. 우리는 고등학교 때 아주 친했었다. 어떤 이야기를 해도 다인이는 내 말을 주의깊게 진지하게 잘 들어줬다. 서로가 서로를 필요로 했고 우리는 가끔 자율학습을 빼먹으며 우리 앞에 놓여진 삶의 의미에 대해 이야기했다. 다인이는 나보다는 삶에 대해 가볍게 생각한다. 나는 책을 좋아하는 언니가 있었기에 다양하고 어려운 책을 어렸을 때부터 접했다. 그래서인지 또래 친구들의 고민보다는 조금 더 생각이 깊었고, 삶에 대한 약간의 비관적인 관점도 갖고 있었다. 고민을 들어주며 공감해주던 다인이가 있었기에 우리는 힘들었던 고등학교 시절을 무사히 넘겼다. 단어가 주는 의미는 사람마다 다를 것이다. 나에게 무사히는 정말 엄청난 심리적 갈등과 사춘기 기간이었음에도 내가 버텨냈고 그나마 괜찮은 대학에 갔다는 의미이다.

대학에서 처음에는 시간이 걸렸지만, 현실을 깨닫고 열심히 공부해 지금은 펀드매니저로 나름 전문성을 인정받으며 꽤 좋은 직장을 다니고 있다.

다시 친구 이야기로 돌아가보자. 나는 서울에서 학교를 다녀서 자연스럽게 서울에 정착하였다. 신기하게도 다인이가 고향에서 대학 졸업 후 서울에서 정착한 곳이 우리집에서 멀지 않은 곳이었다. 서로 애 키우면서 직장다니느라 너무 바빴기에 1년에 한두번 밖에 못 만났지만 언제든 내가 도움을 청하면 달려올 친한 친구가 내 근처에 산다는 것은 든든함을 주었다.

다인이는 맞벌이로 남편과 함께 성실하게 직장을 다니며 아들, 딸 두 아이를 키우는 아주 모범적인 가정을 이루고 살고 있었다. 집값이 너무 갑자기 올라 집을 사는 시기를 놓쳐서 아직도 전세에 살지만 다인이는 크게 불행해하지 않고 긍정적으로 살며 아이들에게도 따뜻하게 대해주는 좋은 엄마다. 남편이 집안일도 아이를 키우는 것도 도와주지 않고 자기만 생각한다고 이기적이라고 투덜대지만 내가 보기에는 귀여운 투정일 뿐이다. 내 남편은 저녁에 집에 오면 2시간 운동을 하고 집에 오면 피곤하다고 누워서 핸드폰을 1시간 정도 보다가 잠이 든다. 그런 남편을 보면서 난 전생에 무슨 죄를 저질러서 저런 사람을 만났을까 하는 생각을 한다.

내가 급할 때 다인이에게 전화하면 다인이는 언제든 기꺼이 도움을 주는 착한 아이이다. 정서적으로 안정된 내 친구는 나에게 위로를 준다. 내가 힘들 때 전화해서 투덜거리다가도 친구의 말을 들으면 내 마음은 편해지기도 하고 내 상황이 남들에 비해 그리 나쁘지는 않구나하는 생각에 안정되기도 한다. 그래서 예선이나 지금이나 친구는 나에게 소중한 친구다.

너. 다인

직장을 다니면서 독박육아를 하고 있는 나는 너무 바쁘다. 내가 뭘 하면서 사는지는 모르겠지만, 아이를 키우는 것도 회사에서 일하는 것도 최선을 다하기 위해 노력하고 산다. 아침에 일어나서 두 아이 밥을 먹이고, 회사 근처 어린이집에 8시 15분에 데려다 주고 8시 30분 출근, 정신없이 집중해서 일하다 보면 금방 5시 30분. 다행히도 윗사람 눈치보지 않고 퇴근하는 회사에 감사하며 칼퇴하고 다시 어린이집에 가서 두 아이를 데리고 퇴근하면 다시 육아가 시작된다. 단순한 성격이라 집에서는 아이들 생각만, 회사에서는 회사일만 생각이 가능해서 그래도 이 모든 것이 아슬아슬하지만 지탱되는 것 같다.

그에 비해 남편은 자기 직장 다니기도 바쁘다. 나와 다른 점은 눈치 보느라 일이 많거나 적거나 해도 칼퇴를 하지 못하고 1시간은 있다 퇴근한다. 아이가 태어나고도 자신의 삶만 생각하는 남편과 싸우기도 많이 싸웠지만, 쉽게 바뀌지 않는다.

대학 이후 한동안 소원하게 지냈었는데, 고등학교 때 나의 삶에 큰 영향을 준 친구가 가까이 산다는 것을 알게 되었다. 언니나 오빠가 없었던 나에게 정희는 언니 오빠같은 존재로 다가왔다. 나보다 책도 많이 읽었고, 아는 것도 많고, 고민의 종류도 달랐다. 어른스러웠고 멋져보였다. 정희가 말하는 것은 뭐든 옳아보였고 그래서 따라하고 싶고 배우고 싶었다. 친구가 하는 말을 기억하며 나도 책을 많이 읽고 똑똑해지고 싶었다. 공부도 나보다 잘해서 아무리 내가 열심히 해도 그 친구를 따라잡지 못했던 기억이 아직도 난다. 정희는 약간 남성스럽기도 했다. 나는 그것도 멋있었다. 난 여성스러운 옷차림과 행동에서 자연스레 멀어졌는데, 그것도 친구의 영향이었던 것 같다.

고등학교 시절 나는 정희가 하자는 것은 뭐든 즐겁게 했고 우리는 많은 시간을 이야기하며 경험하며 행복한 시간을 보냈다. 나는 정희의 말은 무조건 들어줬고, 나의 지적 호기심을 충족시켜주는 그 친구가 좋았다.

서울에서 직장을 다니고 결혼하면서 연락이 닿았는데, 알고보니 정희집이 바로 우리 옆 동네였다. 이제는 서로 자주 연락하고 지내지는 않지만 내 인생에 엄청난 영향을 줬던, 내가 좋아했던 친구가 가까이 산다니 좋았다.

그런데 조금씩 어긋나는 상황이 생기기 시작했다. 내가 엄청 바쁠 때 정희의 전화가 오면 나는 바쁜 일을 뒤로 하고 친구 전화를 받았다. 나에게 소중한 친구니까. 정희 고민을 들어주느라 나의 중요한 일 처리 시간을 놓치거나 주변의 원망을 들을 때가 종종 생겼다. 그만큼 친구 일이 급한 건 아니었는데 나중에 전화받을 껄 하는 후회가 들 때가 있었다. 정희는 집도 있고 부부가 버는 수입이 나보다 많았지만 아이 교육과 관련해 돈 걱정을 했고 그런 친구를 내가 오히려 위로했다. 나같은 사람도 있지 않냐고. 하지만 친구는 내가 오히려 부럽다면서도 나에게 위로를 받았다. 친구가 부탁하는 일은 가벼운 부탁이고 가끔 있는 일이지만, 일과 육아로 바쁜 나에게는 그것조차 버거웠다. 하지만 거절한다고 말하기는 힘들었다. 이상하게도 나의 바쁜 일들과 친구의 전화가 겹쳤다. 나는 전화받는 것이 부담스러워졌다. 친구가 잘못한 것은 없는데 나는 왜 이리 불편할까…….

그러고보니 나는 대부분 전화를 받는 쪽이었다. 친구가 이야기하면 나는 받아주는 쪽이었다. 친구가 부탁하면 나는 들어주는 쪽이었다. 물론 친구가 나에게 뭘 강요하거나 부담스러운 것을 부탁한 적은 없었다. 하지만 어느 순간 나를 바라보니 나는 항상 수동적인 입장이었다. 어느 때부터 꼬인 걸까. 친구 사이에도 갑과 을이 존재할 수 있을까. 이런 불편함은 나에게 숙제가 되었지만 친구는 모를 것이다. 내 숙제는 내가 풀어야 할 거다. 친구 앞에서 더 당당해지는 내가 필요하다.

2. 함께 일하다, 지혜와 상민

나. 지혜

회사를 다니면서 회사일을 내 일처럼 하는 사람 중 한 명이 지혜이다. 성실하다는 단어에 딱 어울리는 사람. 지혜의 직급은 대리였지만 팀장이 출산으로 공석이었기에 팀장대리로서 일을 하고 있다. 주어진 일에 항상 최선을 다했기에 회사에서는 새로운 팀장을 지정하지 않았고, 지혜가 팀장의 역할을 잘 수행하리라 믿고 맡겼다.

실질적인 물건을 만들던 회사에서 온라인 프로그램 서비스로 바꾸는 프로젝트가 회사에서 시작됐다. 지혜가 속한 팀이 온라인 프로그램 기획을 맡게 되었다. 온라인 기획은 처음이라 지혜는 공부하면서 이 일을 수행해야 했다. 회사 또한 온라인 개발 프로젝트는 처음이었다. 외주 업체가 실제적인 개발은 하지만 일을 지시하고 확인할 사람이 필요했기에 온라인 개발기획을 할 계약직 직원 4명을 고용했다. 디자이너, 프로그램 개발자, 프로그램 기획자 2명으로 20대 후반 또는 30대 초반의 젊은 경력자들이었다. 지금은 온라인서비스와 스마트폰이 당연한 시대지만 20여 년 전인 당시 회사는 새롭게 도약하기 위해 이를 위해 엄청난 예산을 투자했다.

지혜는 새로 들어온 직원들과 함께 이 일을 진행했다. 회사의 분위기와는 다른 밝고 자유로운 이들과의 업무는 즐거웠다. 틀 속에 갇혀있는지도 몰랐었는데 이들과의 교류를 통해 새로운 분야를 접하기도 하고 좀 더 유연하게 회사 일을 바라보는 가벼움도 배우기도 했다. 하지만 프로젝트의 무게감은 만만치 않았다. 고객 서비스 오픈 일정과 외주 업체와 개발 협력 기한이 정해져 있고, 많은 예산이 들어갔기에, 서비스 질과 개발 일정에 차질이 없어야 했다.

일이 진행되면서 지혜는 새로 온 개발기획자 프로젝트 매니저인 상민에게 불편함을 느끼기 시작했다. 전문성 있고 리더십 있는 사람이지만, 지혜는 그가 일정과 개발의 질에 책임감을 덜 느끼는 것 같았다. 왠지 그는 이 일만 끝나면 떠날 사람이라 적당히 문제없이만 일을 처리하는 것 같아 보였다. 상민은 지혜가 준 기획서를 바탕으로 외주업체가 개발할 수 있도록 개발에 필요한 내용을 추가해 기획서를 외부업체에 넘겼다. 외주업체가 개발하면, 상민은 외주업체의 개발물과 일정을 관리하고 간단한 검수를 한 후 결과물을 지혜의 팀에게 넘겼다.

그는 바쁘다고 하지만, 하는 일이 많지 않아 보였다. 기획은 지혜팀에서 해서 넘기고 그는 개발과 관련해서 전문적인 의견을 조금 추가해서 그 기획서를 업체에 넘기고, 실질적인 개발은 업체가 한다. 업체가 개발하는 동안, 그는 일정 관리만 하면 됐다.

지혜는 야근하면서 다음 기획일을 또는 업체의 결과물에 대한 컨텐츠를 세심하게 확인하는 동안, 상민이네 팀은 다른 IT회사에서 야근했던 것과 달리 이 회사의 칼퇴의 룰을 지키면서, 일은 많다고 하면서 일을 바로 처리하지 못했다. 지혜는 이해가 안됐다.

결국 어느 날 터졌다. 프로젝트가 지연되는 것에 대해 지혜는 상민의 잘잘못을 따지기로 마음 먹었다. 계속해서 이렇게 진행되다가는 오픈 일정이 늦어지기 때문이다. 이메일에 어떤 일이 어떻게 진행됐고, 어떻게 늦어졌고, 기억하는 불만들을 하지만 정확한 사실을 상세히 써서 보냈다. 항상 그랬듯이 프로젝트를 함께 진행하는 많은 이들이 그 메일에 참조되어 있었다.

그날 이후, 계약직이었던 두 사람 상민과, 기획일을 같이 맡은 여자팀장이 지혜를 피하기 시작했고, 은근히 업무에 협조하지 않기 시작했다. 나중에 알았다. 상민과 그 여자팀장은 사귀는 사이라는 것, 그래서 일정과 결과물에 대한 그들의 생각이 비슷했다는 것, 지혜는 일하기가 너무 불편해졌다. 그리고 알았다. 진실일지라도 상대를 불편하게 하는 것은 공개적으로는 조심해야 한다는 것. 다른 사람의 결과물과 성과에 대해서는 칭찬이 아니라면 조심해야 한다는 것. 같이 계속 일하는 사람들이라면 싫어도 잘못했어도 비난하지 않고 그들을 이해하는 척하면서 달래가며 해야 한다는 것을.

어찌어찌해서 프로젝트는 무사히 끝났다. 이 메일 사건은 지혜에게 많은 교훈을 주었다. 너무 성실하게 업무를 바라보면 사람과의 관계는 잃을 수 있다. 진실을 말하는 것조차 사람에게는 조심해야 하는 소심함과 사회적 의사소통의 기술을 배우게 했다.

너. 상민

난 처음부터 IT쪽 일을 전공한 것은 아니고 일반 기획자 출신이다. 하지만 나름 시대의 흐름에 맞춰 미리 준비해, IT기획이라는 분야에서 경력을 쌓고 나름 높은 연봉으로 회사에서 인정받고 스카웃 같은 제의도 받아 이 회사 프로젝트에 계약직으로 참여하게 되었다.

회사 분위기도 좋고, 나를 존중해주는 것도 좋고 나의 능력을 열심히 펼칠 수 있는 좋은 조건이었다. 이 회사는 IT 개발이 처음이라 내가 하는 말에 귀 기울여 주고, 내가 주도적으로 일할 수 있어서 참 좋다. 그래서도 나의 성과를 위해서도 열심히 일했다. 게다가 같이 이 프로젝트에 내가 뽑은 여자팀장은 내 여자친구다. 이 사실은 아무도 모를 것이다. 그리고 이 회사를 나갈 때까지 사람들에게 알리지 않는 것이 좋을 것 같아 비밀로 하기로 했다. 사적 관계를 알면 괜히 오해를 살 것 같기 때문이다.

나와 같이 일하는 지혜는 정말 열심히 기획해서 넘겨준다. 나는 그의 기획에 IT적인 나의 전문적인 의견과 프로그램 구현을 위한 생각을 더해 개발업체에 넘겨주고, 개발업체 일정관리를 한다. 결국 내가 이 전체 프로젝트의 매니저라 약간 어깨가 무겁긴 하지만 뿌듯하기도 한다.

처음에 지혜는 나와 이야기가 잘 통하고 일도 잘 진행되는 듯했다. 하지만 어느 때부터인지 내가 제시하는 일정을 재촉하는 듯한 느낌을 받았다. 일개 대리이면서 나에게 뭔가 요구하고 지시하는 듯한 느낌이 싫어지기 시작했다.

어느 날, 메일을 하나 받았다. 난 나의 창의성을 발휘하며 팀장으로서 나름 열심히 일하고 있는데, 공개적으로 나를 엄청나게 비난하는 내용이었다. 내가 일정을 못 맞춰서, 일정관리를 잘 못해서 프로젝트가 늦어졌다고 각각의 내용에 대한 날짜와 과거 메일을 바탕으로 근거를 대고 있었다. 같이 일하는 사람으로서 불만이 있으면 나한테 와서 하면 되지, 그걸 프로젝트하는 모든 사람들에게 보내다니, 나랑 그만 일하자는 건가. 세상에 예의가 없어도, 생각이 없어도 이럴 수는 없다. 아니 정말 이건 상대할 사람이 아니다. 이렇게 한 사람 병신 만들다니.

물론 내가 잘못 처리한 부분도 있다. 하지만 그 정도의 실수도 없이 완벽하게 일하는 사람이 어디 있나. 그리고 나는 내가 할 수 있는 만큼 최선을 다했다. 이 회사의 분위기에 맞춰 칼퇴하면서 일하고 있다고 나를 비난할 수 있는 사람 있으면 나와 봐라. 지혜는 정규직이니 야근하고 목숨받쳐 일할지 모르지만, 나는 계약직이고, 내가 맡은 일을 맡은 시간에 최선을 다하고 퇴근하면 되는 거다. 그리고 이 일를 제외하면 이 회사의 거의 모든 사람들은 칼퇴한다.

내 여자친구인 팀장이 나 대신 메일에 답장을 했다. 오해가 있는 부분에 대해서, 일이 많아서 그런 건데 그것을 가지고 비난하는 사람과는 같이 일하기 힘들다는 느낌이 충분히 느껴지게, 하지만 최대한 예의를 갖춰서 썼다. 고맙다.

어쨌든 IT의 세계를 잘 모르는 답답한 사람들과 일하는 것이 참 힘들다. 다시 이 회사와 일할 일은 없겠지만, 이 사람들과 일하고 싶지 않다. 원리원칙을 따지는 지혜도 싫고, 너무 착실한 분위기는 내가 무엇을 새롭게 시도하거나 더 열심히 할 마음을 오히려 잃게 한다.

이제 이 프로젝트를 열심히 할 마음도 별로 없어진다. 그냥 일정에 맞춰서 큰 무리없이만 진행되게, 좋은 결과물이 나오기보다는 그냥 제때 끝나는 것을 목표로 나는 진행할 것이다.

3. 동아리 친구, 진우와 민희

나. 진우

나와 민희는 같은 동아리에 속해 있다. 민희는 부러울 것이 없는 아이이다. 저 정도면 얼굴도 예쁘고, 공부도 잘하고, 자기 주장도 있고, 남들 앞에서도 당당하다. 물론 성격도 좋다. 잘 웃고, 남도 적당히 배려할 줄 안다. 나는 가정이 넉넉지 않아 대학학비를 부모님께 손 내밀기 미안해 방학이면 아르바이트도 해야 하는데, 민희는 부족함이 없는지, 그런 걱정도 없이 대학을 다닌다.

내가 보기에 민희는 모든 조건을 갖춘 것 같다. 민희를 좋아하는 사람도 많은 것 같다. 그런 민희와 나는 어느 때부터 가까워졌다. 민희의 소탈하게 나에게 다가왔고, 우리는 점점 가까운 친구가 되었다. 말하지 않았지만 나는 민희를 좋아하게 되었다. 수업이 없는 시간이 맞으면 같이 놀기도 하고, 내가 컴퓨터를 잘했기에 민희 숙제 타자를 도와주기도 했다. 민희는 고마워하며 맛있는 간식으로 보답했다. 동아리방에서 자연스럽게 우리는 다른 친구들과 어울리면서도 둘만의 시간을 갖기도 했다. 오락실도 같이 갔고, 커피숍도 갔고, 캠퍼스를 거닐기도 했다. 나는 민희의 마음이 궁금했다. 하지만 내 마음을 비친 적은 없었다. 그냥 우선은 이렇게 자연스럽게 지내면서 가까워지다가 사귀는 것이라고 생각했다. 아니 어쩌면 우리는 이미 사귀고 있는 거라고 생각했던 것 같다. 아직 서로의 마음을 확인하지 않았을 뿐.

우정에서 시작됐지만 나는 사랑이라 믿으며 우리는 그렇게 지냈다. 나는 똑똑한 편은 아니었고, 집안이 넉넉하지도 않았지만, 친구가 많았다. 사람들은 내가 솔직하게 모른다고 말하고 가르쳐 달라고 하면 오히려 편하게 다가와서 친절하게 가르쳐주고 도와주었다. 나의 솔직함이 사람들에게는 매력으로 보이나보다. 조금 부끄럽긴 해도, 솔직한 나는 그렇게 나의 부족함을 편하게 드러내면서 선배들과 동기들과 더 많이 친해지게 되었다.

그러던 어느 날 밤늦게 민희에게 전화가 왔다. 민희는 술을 한잔 마신 상태였고, 자신의 친구 이야기에 열을 내면서 나에게 전화를 했다. 남녀 사이에도 우리처럼 친구로 존재할 수 있는데, 다른 친구가 그럴 수 없다고 이야기했다면서 말도 안된다며 성토하는 것이다. "그지? 우리는 친구인데"라는 말에 나는 아무말도 할 수 없었다. 난 친구가 아닌데… 난 너의 남자친구이고 싶은 사람인데… 대답이 없자 민희가 대답을 채근한다. "듣고 있어? 왜 말이 없어?" 나는 어쩔 수 없이 말했다. "나도 남녀 사이에 친구가 존재할 수 없다고 생각해." 민희의 당황스러워하는 말이 들려왔다. "뭐라고? 너와 나는, 우리는 친구잖아?" 그래서 어쩔수없이 나도 이야기했다. "너는 나를 친구로만 생각했어? 나는 너랑 친구하고 싶지 않아." 민희가 말을 잇지 못했다. 그리고 우리의 대화는 끝났다.

나는 내 마음을 정리하기로 결심했다. 민희는 나를 친구로만 생각했던 것이다. 어떤 면에서 나를 가지고 논 것 같다. 나는 마음을 줬는데, 민희는 내 마음을 가지고 놀았다. 어떻게 우리 사이가 친구란 말인가. 민희와 더 이상 같이 할 수 없다는 것은 마음이 아프다. 하지만 나를 친구로만 생각하는 민희는 더 견디기 힘들다. 다시는 함께하지 않을 것이다.

너. 민희

나에겐 진우라는 친한 남자 사람 친구가 있다. 동아리에서 만난 친구인데 참 솔직하고 착한 아이다. 그런 성격 때문에 주변에 친구가 많다. 너무 솔직한 그 친구에게 당황하기도 하지만 그래서 어떤 일이든지 쉽게 풀리기도 한다. 모르는 것은 모른다고 대답하기에 다른 사람이 쉽게 도와줄 수 있고, 마음을 내줄 수 있다.

진우는 내가 고민하고 있을 때도 쉽게 해결책을 말하는, 너무 쉽게 말해서 어처구니가 없지만, 오히려 그렇게 앞뒤 따지지 않고 솔직하게 직설적으로 말하는 것이 해결방법이기도 한 것 같아 도움을 받기도 했다. 나와는 다른 성격의 진우. 나는 남에게 내가 못한다고 말하지 못한다. 못하는 것은 속으로만 힘들어한다. 왜 나는 이걸 못하지, 열심히 해서 나도 잘해야지라는 생각은 한다. 하지만 남에게 쉽게 도와달라고 말하지 않는다. 다른 사람이 하는 것을 살짝 보고 물어보지 않고 스스로 배워서 해결하려고 하고, 내가 잘 모르는 것을 남에게 들키지 않으려고 한다.

사실 나는 잘하는 것이 별로 없는 것 같다. 자신감이 부족하다. 아니 정말 자신이 있는 것이 별로 없다. 이 학교에 오면서 당연히 장학금을 계속 받을 거라고 생각했지만, 입학 때 받았던 장학금 이후로는 한 번도 받아 본 적이 없다. 그렇다고 동아리에서 내가 하는 활동으로 크게 칭찬받은 적도 없다. 그냥 너무 평범하게 모든 일을 하고 있는 것 같아서 싫다. 잘하고 싶은 내 마음 속 깊은 욕심이 나를 소심하게 만들고, 자신감 없게 만든다. 남들은 내가 부럽다고 하는데, 정말 부러울 것 하나 없는 상태다. 내 장래에 대해서도 아직 아무 생각이 없다. 대학 가면 도서관에서 살면서 깊은 지식을 쌓고 싶었는데, 도서관 근처에도 가지 않는다. 공부도 안하고, 방황만 하고 있다.

그런데 진우를 보면 참 신기하다. 객관적인 조건을 보면, 똑똑하게 보이지도 않고, 집안도 넉넉지 않다. 그런데 항상 자신감이 있다. 나 이거 몰라. 나 이것 좀 가르쳐 줘. 모르는 것을 자신 있게 드러낸다. 그리고 배운다. 배운 것을 익혀서 어느 정도 잘하게 된다.

전혀 성격이 다른 진우와 나는 친해지게 되었다. 나의 고민을 진우에게 말하면 아주 쉽게 해결될 수 있었고, 솔직한 진우의 성격이 좋았다. 우리는 많은 이야기를 나눴고, 함께 하는 시간도 꽤 많았다. 물론 다른 동아리 친구들과 함께일 때도 많았고, 둘만 있었을 때도 있었다. 여자 친구보다 편한 남자 사람 친구가 생겼다. 내가 뭔가를 하자고 제안하면 흔쾌히 같이 했고, 어디를 좀 같이 가자고 하면 따라가 줬다. 물론 나도 진우가 하자는 것이 있으면 같이 즐겁게 했다. 진우가 속한 단체의 행사에 파트너를 데리고 와야 하는데, 진우가 데려갈 여자친구가 없다고 나에게 부탁하길래 나름 파트너로 예쁘게 입고 가서 참석해 주기도 했다.

그런데 어느 날 갑자기 내 남자 사람 친구가 사라졌다. 남자와 여자 사이에도 친구가 존재할 수 있지 않냐는 내 평범한 질문에, 진우는 존재할 수 없다고 대답했다. 진우는 나와 친구가 될 수 없다고 선언한 것이다. 나는 너와 친구인데 너는 내 친구가 될 수 없다니, 그럼 우리는 뭐지? 그 뒤로 진우는 나에게 말을 걸지 않았고 내가 말을 걸어도 아주 짧은 대답만 했다. 그리고 나를 피했다.

소중한 친구를 잃었다. 아니, 어쩌면 처음부터 친구가 아니었을 수도 있으니 친구를 잃었다는 말은 틀린 말일 수도 있다. 많은 시간을 함께 했기에 서로의 생각을 안다고 생각했으나, 우리는 전혀 다른 곳을 바라보고 있었다. 같은 곳을 바라보는 줄 착각하고 살았다.

마음이 너무 아팠다. 이렇게 친했던 친구가 하루아침에 남이 되다니, 상실감이 너무 컸다. 그리고 너무 미웠다. 친구였으면서 친구가 아니라고 단칼에 관계를 자르다니. 이제는 아무도 믿을 수가 없었다. 그리고 아무나 믿기도 했다. 한참 동안 나의 생활은 엉망이었다. 진우는 몰랐을 것이다. 아니 관심도 없었을 것이다. 인간관계에 대해 나는 자신감이 없어졌고, 방황 끝에 서서히 또 성장하였다.

4. 같은 팀, 예진과 선희

나. 예진

예진은 선희가 싫다. 처음부터 싫었던 것은 아니다. 같은 회사 다른 부서에 있을 때는 오히려 밥도 가끔 먹기도 하도 반갑게 인사했었다. 선희를 처음 알았을 때는 선희나 나나 비슷한 상황이었다. 둘 다 같은 전공을 했었고, 다른 일이지만 큰 테두리 안에서는 같은 분야였다. 또한 둘 다 결혼을 했지만 아이가 없는 상태였다. 우리는 자연스레 이야기가 통했다. 시간이 지나면서 선희는 아이를 낳았고, 휴직을 하고, 또 아이를 갖고 또 육아휴직을 했다. 그리고 회사의 복지제도를 잘 활용해 회사를 다니면서 대학원을 다녔다. 나는 아이를 갖고 싶었지만 하늘이 허락하지 않았고, 그냥 남편과 잘 지내기로 했다. 지금의 내 생활에 만족한다.

하지만 선희를 바라볼 때는 마음이 불편해진다. 내가 하려고 했던 모든 것을 다 한 선희를 마주하면 내가 부족한 것 같고, 나만 바보같은 생각이 든다. 선희가 회사에 없는 동안 나는 열심히 일했다. 그런데 어느 날 선희가 우리 부서로 왔다. 선희는 우리 부서 일을 전혀 몰랐고, 나는 선희에게 일을 가르쳐줘야 하는 임무를 받았다.

하지만 문제는 선희는 나보다 직급이 높다는 것이다. 물론 다른 회사 경력도 있고, 나보다 회사를 먼저 들어왔고, 나보다 나이도 조금 많다. 하지만 지금의 선희는 이 업무를 모르고, 회사도 휴직하고 대학원을 다니느라 회사경력이 이제는 나보다 짧다. 그런데 내가 그런 선희를 선임으로 대하면서 일까지 가르쳐줘야 한다니 정말 짜증나는 일이다.

나는 성실하게 일하고, 인정도 받는다. 정확하게 일정을 챙기고, 결과물도 잘 나오고, 칭찬도 받는다. 그런데 왜 회사는 나를 이렇게 부당하게 대하는 걸까. 적어도 우리 부서에 선희가 들어오면 안됐다. 선희가 업무를 물어보면 난 이제 쌀쌀맞게 대답한다. 물론 팀장이 있을 때는 그렇게 말하지 않는다. 선희랑 있을 때만 내 감정을 조금 실어서 정없이 대답한다는 것이다. 선희도 좀 알았으면 한다. 내가 얼마나 선희 때문에 화가 나는지.

나는 승진도 아직 못했는데, 회사에서 일한 경력으로만 치면 내가 더 많은데 선희는 승진해서 나에게 일을 배우고 있다니, 아무리 생각해도 이해 못 할 일이다. 내 주변의 사람들에게 물어봐도 다 나를 이해한다. 회사에서 잘못했다고, 네가 화날만 하다고.

그래도 가르쳐 주는 것은 제대로 다 가르쳐준다. 일부러 빼먹고 가르쳐주거나, 골탕 먹이거나 이런 유치한 짓은 하지 않는다. 나도 기본은 있는 사람이니까. 하지만 짜증나는 것은 나도 사람이니까 어쩔 수 없다. 내가 꼭 가르쳐주지 않아도 될 사항이면 다른 부서에게 물어보라고 대답하기도 한다. 선희가 당황스러워하는 것 같지만, 어쩔 때는 내가 옹졸한 것 같아 보일 수도 있지만 다 상관없다. 선희랑 얽히지만 않으면 된다.

이렇게 성실하게 잘 살고 있는 나에게 회사는 왜 이러는지… 그래도 나와 오래한 팀장이 내 마음을 알아주고, 나를 잘 챙겨주니까 참는다. 정말 팀장 때문에 선희에게 업무를 가르쳐 준다. 이 정도면 참으면서 정말 착하게 회사 생활 하고 있는 것이니 칭찬받아야 하지 않을까.

너. 선희

어처구니가 없다. 내가 무슨 잘못을 했다고 예진이는 나를 모른 체하고 나에게 그리 쌀쌀맞게 대할까. 예진과 나는 서로 싸운 적도, 내가 그 애에게 해를 끼친 적도 없다. 다른 팀이었을 때는 사이가 좋았는데, 같은 팀이 되고 나서부터 예진이 나를 대하는 태도에 찬바람이 쌩쌩 분다. 물론 이 팀에 들어와 처음 해보는 업무을 맡게 되어 나에게도 부담이고, 팀 사람들에게도 미안하다. 직급은 과장인데, 일을 전혀 몰라서 대리에게 배우고 있으니 나도 좀 민망하기도 하다. 하지만 어떻게 하라고. 회사가 나에게 이 일을 하라고 갑자기 맡겼는데. 나도 어떻게 돌아가는지는 팀의 업무 시스템과 프로세스를 알아야지 일을 하지. 예진이는 친절하게 가르쳐주는 것 같다가도 내가 하나만 더 질문하면, 차갑게 그건 각자 알아서 하는 거예요. 누구누구 팀에게 물어보세요하면서 나 몰라라 하기도 한다.

아무리 생각해도 나는 예진이에게 잘못한 것이 없는데라고 생각하다 혹시 자격지심인가하는 생각이 들었다. 생각해보니 유산했다는 이야기를 들었다. 나는 아이가 둘이라서, 휴직을 두 번이나 해서 부러웠을까. 부럽다고 해서 이렇게 쌀쌀맞게 대하나 이해가 되질 않는다.

예진은 나에게 뭘 원했을까. 내가 이 부서를 떠나주길 원하나. 예진과 팀장이 짝짜꿍이 맞는 것을 보면 나는 소외감을 느낀다. 팀장은 나를 많이 배려해준다. 새로운 일을 배우는 상황에서 힘든 것을 알아주는 것 같다. 팀장은 예진을 더 위하는 것 같다. 하긴 팀장과 예진이 같이 일해 온 시간이 얼마나 긴데, 굴러들어온 돌보다 훨씬 마음이 갈 수밖에 없지.

회사를 다니면서 한 번도 다른 사람과 갈등을 일으켜본 적이 없는데 이건 정말 다른 차원이었다. 잘못한 것도 없이 비난받는 이 기분. 내가 어찌할 수 없는 내 상황들 때문에 나를 시기 질투하는 사람은 나도 이제는 싫다.

이제는 예진만 보면 기분이 안 좋아진다. 예진이와 부딪힐 일이 있으면 최대한 자리를 피한다. 그러다 둘만 밥을 먹어야 하는 순간들이 있을 때는 지옥 같으니 다른 사람과 미리 점심 약속을 만든다. 가능하면 일에 있어 궁금한 점이 있더라도 예진에게는 묻지 않는다. 이걸 나의 원칙으로 만들었다. 하지만 그래도 날마다 예진의 얼굴을 보는 건 나에게 고문 같다. 최대한 예의를 갖춰서 대하지만, 정말 싫다. 저 사람. 나를 싫어하는 저 사람.

근데 가끔 예진이도 의외로 나에게 호의를 베풀기도 한다. 실수로 저러나, 갑자기 왜 저러나 싶은 생각이 들 때도 있지만, 예진이 원래 나쁜 사람이었다기 보다는 나 때문에 맘이 뒤틀린거라 나도 이해하려고 애쓰기도 한다. 하지만 나를 싫어하는 사람을 참아내기는 나도 너무 힘들다. 어쨌든 예진이는 애를 갖고 싶었어도 못 가졌으니까 얼마나 속상했을까 싶다. 그건 무조건 이해한다.

팀 사람 한 명으로 회사생활이 끔찍하게 변했다. 하루 종일 팀에서 거의 말을 안하고 지내기도 했다. 어떻게 해야 이 생활을 벗어날까. 적당히 나도 무시하면서 예의를 벗어나지 않는 방법은 무엇일까. 너무 어렵다.

5. 짝꿍, 영기와 민수

나. 영기

나는 공부를 못한다. 열심히 해도 성적이 오르지 않는다. 사실 열심히 하는 건 아니다. 공부하려고 앉아 있으면 다른 생각들이 많이 나서 집중해서 공부가 잘되질 않는다. 수업시간에도 옆 친구랑 이야기하거나 딴생각에 금방 빠져서 선생님 말씀을 귀 기울여 듣지는 않는다.

그래도 난 친구가 많다. 친구들과 잘 놀고 잘 웃고 신나게 학교생활을 한다. 우리 학교가 자율학습이 밤 12시까지만 아니었다면 난 학교를 좋아했을 것이다. 밤 12시까지 학교에 있는 건 너무 싫다. 그래도 친구들과 시간을 같이 하는 건 좋다.

이번에 짝꿍이 바뀌었다. 새로운 내 짝꿍의 이름은 민수다. 민수는 나와 친한 무리와는 너무 다른 약간은 모범생 과에 속하는 아이이다. 약간이라고 말한 건 그 아이가 은근히 선생님들에게 반항하는 것을 알고 있기 때문이다. 그 반항이 마음에 들어 나는 민수에게 약간 호감을 가지고 있다. 짝꿍이 됐으니 내 친구가 될만한 아이인지 가까이서 지켜볼 것이다.

어라, 생각보다 말이 잘 통한다. 성적이 좋아서 공부만 열심히 하는 줄 알았더니 나처럼 놀 줄 안다. 수업시간에 열심히 듣지만 내가 말 걸면 기꺼이 대답하고 자율학습 시간에는 꽤 딴짓을 했다. 책을 읽기도 하고 낙서를 하기도 하고 잠도 자고 같이 노는데 친구로서 합격이다.

잠깐, 그런데 왜 민수는 성적이 좋지? 나는 뒤에서 다섯 손가락 안에 드는데 민수는 앞에서 다섯 손가락 안에 든다. 신기하다. 집에서 몰래 공부하고 안 한다고 말하는 얌체는 아닌 것 같은데, 자율학습 시간에 나랑 같이 놀면서 공부는 잘하니 좀 억울하다. 따져보면 내가 민수보다 공부하는 시간은 더 긴 것 같은데 뭐가 문제지?

이런저런 생각에 하루는 민수도 골려 먹을 겸 장난을 하나 치기로 마음먹었다.

"민수야, 이제 가을에 접어드는데… 내가 반팔밖에 없어. 작년에 입은 옷들도 다 작고, 닳아서 새로 사야 하는데 엄마가 아직 안 사 주셨어." 민수는 당황하지 않는 척하며 대답했다. "날씨가 이제 추워지는데… 엄마가 빨리 옷 사주셔야 할텐데."

내가 힘없는 목소리로 말했다. "괜찮아. 그런데 내일 엄청 추워진다는데, 전교에서 나만 반팔을 입으면 눈에 띄잖아. 그럼 속상할 것 같아. 혹시 너도 내일 나처럼 반팔 입고 와줄래?" 민수는 그제야 환한 얼굴로 대답했다. "그래, 물론. 나도 반팔 입고 올게. 걱정 마."

물론 우리집은 그렇게 가난하지 않고 당연히 나에겐 겨울옷까지 긴팔 옷이 많다. 긴팔옷이 없는 사람이 있을까? 근데 나의 이런 뻔한 장난에 민수는 금방 넘어왔다. 내일 엄청 추워진다고 했는데 정말 민수가 반팔만 입고 올까 궁금했다.

다음날이 되었다. 나는 긴팔 옷을 따뜻하게 입고 갔다. 전교생 중 유일하게 반팔을 입은 민수는 오들오들 떨면서 등교했다. 민수가 나를 보며 깜짝 놀라며 "영기야, 너 반팔 없다면서 어떻게 입고 왔어?" 나는 활짝 웃으며 대답했다. "하하하. 설마 내가 진짜 긴팔 옷이 없겠어? 엄청 춥겠다. 어쩌냐? 나 장난친 거였는데…" 살짝 미안했다. 하지만 민수는 웃으며 괜찮다고 했다. "야! 뭐야. 춥긴 한데 네가 정말 반팔밖에 없는 줄 알고… 아니어서 다행이다."

이 일을 계기로 민수와 나는 더 친해졌다. 아니 정확하게 말하면 민수에 대한 나의 신뢰가 돈독해졌다. 공부 잘하는 자기들끼리만 친구하면서 공부 못한 애들은 관심도 없는 모범생들과 달리 민수는 성적과 상관없이 다양한 친구들과 마음을 열고 놀 줄 알았다. 공부도 많이 안하면서 민수 성적이 좋은 것이 신기했다. 아, 부럽다. 민수는 머리가 좋은가보다. 나는 민수보다 열심히 공부해도 성적이 오르지 않아서 속상하지만 어쨌든 민수는 내 친구다.

너. 민수

내 얼굴이 착실해 보이나보다. 친구들은 나보고 착실하고, 공부도 잘한다고 하지만, 그런 모범생은 중학교 이후 사라졌다. 중학교 때 나는 공부를 참 열심히 했다. 새로운 것을 알아가는 재미를 느꼈고, 나의 라이벌인 한 친구를 이기기 위해 공부도 열심히 했지만 슬프게도 단 한 번도 그 친구를 이기지 못했다. 한마디로 넘사벽이었던 전교 1등 친구 덕분에 어찌됐던 난 한 때 공부를 열심히 했다. 성적은 올랐고, 공부가 재미있었다. 하지만 사춘기를 겪으면서 난 왜 살아야 하는지 삶의 의미에 한동안 집착했고, 예전만큼 열심히 공부하지 않았다.

하지만 그때 했던 공부가 바탕이 되어서인지 그 뒤로는 예전처럼 공부하지 않아도 수업만 열심히 듣고 조금만 복습해도 성적이 잘 나왔다. 그런 나를 보고 친구들은 머리가 좋다느니, 거짓말하는 거 아니냐며 집에서 몰래 공부한 거 아닌지 의심의 눈초리로 쳐다보기도 했다.

어느 날 담임 선생님이 쉬는 시간에 나를 불렀다. 너는 왜 쉬는 시간마다 자리에서 일어나냐고, 화장실에 안 갈 때는 쉬는 시간에 공부하라는 말을 하셨다. 하지만 공부만 강조하는 답답한 환경 속에서 자유를 추구했던 나는 당당하게 말했다. “저는 쉬는 시간마다 화장실을 안가면 배가 아파요.” 지금 생각하면 말도 안 되는 대답이지만 담임 선생님은 네가 몸이 안 좋은가보구나 하면서 모른 척 넘어가 주셨다.

그런 작은 반항들로 나는 고3을 그나마 숨을 쉬면서 살 수 있었고, 주변 친구들은 그런 나를 신기하게 쳐다봤다. 모범생인 줄 알았더니 반항아 기질이 있는 희한한 아이라고 생각했다. 짝꿍이 된 영기도 나를 그렇게 생각한 것 같다. 나에게 편하게 말을 걸었다. 작은 일에도 활짝 큰 웃음을 터트리며 해맑은 영기의 모습이 나도 좋았다. 영기는 나보다 자습시간에 더 열심히 하고 딴짓도 안 하는데, 그에 비해 성적은 잘 안 나왔다. 좀 이해가 되지 않았다. 왜 열심히 공부하는데 성적이 안 오를까. 괜히 내가 미안하기도 했다.

그래서 정말 고민했고 결론 내렸다. 첫째, 나는 수업시간에는 정말 열심히 집중해서 공부한다. 하지만 짝궁인 영기는 수업시간에 딴생각을 가끔한다. 둘째, 나는 중학교 때 이미 열심히 공부했기에 기초가 있어 수업시간에 배운 것이 쉽게 이해되는데, 영기는 기초가 안되어 있어 나보다 이해가 좀 늦다. 과거에 내가 쌓아놓은 공부에 따른 보상이 나의 결론이다.

어쨌든 우리는 친해졌고, 영기가 가을옷이 없다고 고민을 털어놓으며 걱정했을 땐 정말인 줄 알았다. 집안 사정이 그렇게 어렵다는 이야기를 듣고 친구와 함께 해줘야겠다는 생각뿐이었다. 계속 반팔을 입고 다녀야하나 하는 고민도 들기는 했지만, 하루만에 반전을 겪을 줄은 몰랐다. 그날 전교생 중에서 나 혼자 반팔을 입었다. 장난을 잘 치는 영기였기에 나도 그냥 웃고 넘어갔는데, 그런 것이 잘 맞아 우린 친구가 되었을 것이다.

우리는 짝꿍이었을 때 많이 친해졌지만, 진짜 친한 친구들은 전혀 달랐기에, 다시 자리가 바뀐 다음에는 반갑게 인사하기는 하지만 각자의 다른 친한 친구들과 어울리게 되었다. 나중에 대학을 졸업하고 우연히 영기와 연락이 닿아 만났는데 여전히 재미있게 씩씩하게 자신의 일을 찾아 잘살고 있었다.

공부를 잘하는 아이와 못하는 아이로만 구분했던 학교, 나 또한 그 이분법에 젖어 살았는데, 그걸 깨게 해준 내 친구 영기. 덕분에 공부는 사람이 가지는 수많은 장점 중 한 가지에 불과하고, 사람마다 잘하는 것과 관심이 다 다르다는 것을 알게 되었다. 누구나 잘할 수 있는 것이 있는데, 그 당시 공부에 관심이 없었을 뿐인, 그래서 소외받았던 수많은 학교 시스템의 희생자들. 그땐 몰랐지만 다양한 삶의 능력과 모습을 몰랐던 나도 학교 시스템의 희생자였다.

6. 회사 동료, 미경과 지선

나. 미경

내가 생각하기에 우리회사에서 가장 인기있는 사람은 지선인 것 같다. 한번 같은 팀이 되거나, 같이 프로젝트를 하는 사람은 다 친구가 되고, 아껴주는 사람이 된다. 놀라운 친화력이다. 일도 재빠르게 똑부러지게 한다. 그리고 사람에게 불만을 이야기할 때도 짜증내지 않고 유머감각을 실어서 상대방이 기분 나쁘지 않게 전달한다. 회사에서 지선을 싫어하는 사람은 본 적이 없다. 지선과 친하고 싶어하는 사람, 지선을 좋아하는 사람은 엄청 많다.

드디어 나도 지선과 같은 팀이 되었다. 나도 지선과 친하고 싶었다. 소심한 나는 먼저 다가가지 못했다. 그냥 지선 옆에서 맴돌 뿐이었다. 그러는 동안 다른 팀원이 지선에게 다가갔고, 둘은 팀 안에서 엄청 친해졌다. 그걸 보는 나는 마음이 좋지 않았다. 나도 같이 친하고 싶다고, 나도 같이 끼어달라고, 소리없는 울림을 전하고 나는 지선과 친해지는 것을 포기했다.

이후 우리는 다른 팀이 되었지만 같은 팀이었다는 인연으로 예전 팀 사람들끼리 모여서 점심 식사를 같이 하곤 했다. 하지만 나에게는 지선이 항상 생선가시처럼 내 마음에 걸림이었다. 친하고 싶지만 친하지 못한 사람, 여전히 친하고 싶은데 다가가지 못하는 사람, 다른 사람과의 친한 모습은 나에게 거슬렸고, 부러웠다.

질투인지 내 마음을 알 수는 없었지만, 괜히 미워졌다가, 혼자 풀었다가, 지선이 관심을 표하면 친해진 양 기분이 좋았다가, 다시 풀이 죽었다가. 이성 간의 사랑도 이러지는 않을 것이다. 뭔가 사랑을 구걸하는 듯한 느낌이 마음 속에 들면서 기분이 나빠졌다가 다시 지선의 한 마디에 기분이 풀렸다.

도대체 지선의 매력은 무엇일까. 사람과의 관계에서 어떻게 행동하길래 모든 사람들이 지선에게 저렇게 호의적일 수 있을까. 지선은 사람들에게 스스럼없이 대한다. 편하게 말하고, 즐겁게 농담을 건낸다. 심각한 상황에서도 그냥 웃으면서 이야기하기도 하면서 분위기를 누그러뜨리기도 한다. 남들 뒷말을 하기도 하지만, 그것이 오히려 그들만의 끈끈함을 만들어내어, 관계를 돈독하게 유지시킨다. 누군가와 친해지면 계속해서 관심을 가지고 이야기를 해주고 기억하고, 챙겨주기도 한다. 그리고 다른 사람의 성격을 잘 집어내고, 예리하게 볼 줄도 안다. 그것을 칭찬할 줄도 유머스럽게 이야기할 줄도 안다. 아. 그리고 책도 많이 읽는다. 정치에도 관심이 있다. 그래서 관심사가 비슷한 사람들과 또 끈끈해지기도 한다. 나이가 어린 애들과도 말이 잘 통하며 친하게 지낸다. 신기하게도 나이가 많은 사람과도 금방 친해진다. 웃으면서 편하게 다가간다. 윗사람이건 아랫사람이건 편하게 다가가며 유머감각 있게 말하는 것이 엄청난 매력인가보다.

다른 많은 사람들이 지선을 좋아하는 것을 보면, 정말 부럽다. 나를 좋아하지 않는 지선이 싫기도 하다. 저런 성격을 갖고 싶은데, 아니 저렇게 나를 좋아하는 사람들이 많았으면 좋겠는데, 나에게는 그런 진지함을 승화시키는 가벼운 유머가 없다. 유머감각은 단순히 인기의 문제가 아닌 것 같다. 사람이 살면서 가장 필요한 감각 중 하나가 유머감각이라는 것을 지선을 보면서 깨닫게 되었다. 불편한 상황, 어려운 상황, 짜증나는 상황에서 자연스럽게 벗어나려면, 재치있게 웃고 넘어가려면 유머감각이 필요한다. 물론 즐거운 상황에서도 유머감각은 필요할 것이다.

나 혼자 지선바라기였던 것이 화가 나서 이제는 지선에 대한 관심을 꺼버렸다. 여전히 속상하고 지선이 눈에 자주 띈다. 이제는 나도 유머감각을 키우는 것으로 이 상황을 자연스럽게 나도 넘어가보려고 노력해본다.

너. 지선

이 회사에서 내가 하는 일이 좋다. 나와 맞고, 내가 잘할 수 있는 일이다. 일의 특성상 여러 부서 사람들과 부딪히게 되지만, 각 부서의 사람들과 만나서 일하다보면 다양한 친구가 생기는 거라 그것도 좋다.

입사 때 들어왔던 부서도 좋았고, 동기들도 지금까지 만나며 사이가 좋다. 팀장이 바뀌었지만 괜찮다. 일하면서 다양한 친구들이 생겼고, 다들 이야기를 하다보면 솔직한 자기 이야기를 하면서 더 친해지는 관계가 나는 좋다. 우리 회사에는 좋은 사람들이 많은 것 같다.

미경과 같은 팀인 적이 있었는데, 미경도 역시 좋은 사람이다. 자기만의 관심사가 확실하고, 에너지가 넘치며, 열정이 있는 사람인 것 같다. 나와는 친해질 접점이 딱히 있지는 않았지만, 같이 이야기하면 통하고 편안하게 서로를 대할 수 있어 좋다. 미경은 회사밖에 친구가 많아서회사 사람들과 친해지거나 깊은 관계를 가지는데 관심이 없는 것 같다. 한때는 같은 팀이 되어 미경과 친해질 수 있는 기회가 있었는데, 미경이는 나에게 특별한 관심이 없는 것 같고, 진지함 지수가 높아서, 그냥 편안한 동료로 생각하기로 했다. 하지만 개인적으로 미경에 대해서는 호의적인데, 자기 이야기나 생각을 많이 말하지 않은 편이라 미경에 대해서 알듯하지만 잘 모르겠다. 그래도 같은 팀 사람들끼리 지금도 모임을 유지하고 있어서 미경이와 가끔은 만나면 반갑게 인사한다.

나는 한번 친해지면 끝까지 관계를 유지하는 편이나. 그래서 회사에서 친한 사람들이 점점 많아지는 것 같다. 나보다 어린 동료와 어울리는 것도 좋아한다. 어린 동료들은 적극적이고 아이디어도 재미있다. 나이는 열 살이나 어려도 이야기하다 보면 신나고 잘 통한다. 그러다보니 어린 동료들하고도 모임이 하나 생겼다.

나이가 많은 지긋한 사람들과 이야기하는 것은 배울 것이 많다. 내 이야기도 잘 들어주면서 그들과 이야기하면 회사가 어떻게 돌아가는지, 윗사람들은 어떤 생각을 하는지도 들을 수 있어 나이 드신 분들과도 금방 친구가 된다.

사람들과 이야기 나누는 것을 나는 참 좋아한다. 회사에서 받은 스트레스를 회사 사람들과 풀기에 나는 회사 사람들과 친할 수 밖에 없다. 공동의 적이 생기면 내부가 더 돈독해진다고 하지 않던가. 그러고 보면 나는 내가 속한 집단에 참 충실한 사람인 것 같다는 생각도 한다. 마지막으로 나는 재미있는 사람을 좋아한다. 아니, 상황을 재미있게 표현하며 이야기할 수 있는 사람을 좋아한다. 진지한 것도 좋지만 투덜거리면서도 금방 같이 웃을 수 있는 사람이 좋다. 심각한 이야기 속에서도 재미난 상황을 만들어내면 금방 친구가 되는 것 같다.

아무튼 이 회사를 다니면서 같은 일에 매너리즘에 빠질 때도 있지만, 새로운 프로젝트가 시작되면 또 새롭게 친해지는 선배 동료, 후배 동료들이 있기에 나는 이 회사를 계속해서 즐겁게 다닐 수 있을 것 같다.

7. 도둑질, 딸과 엄마

나. 딸

초등학교 1학년, 태어나서 엄마에게 처음으로 맞았다. 그리고 그 이후로 지금까지 나는 엄마에게 맞아본 적이 없다.

피아노 학원에서 피아노를 치는데, 10색 볼펜이 피아노 위에 있었다. 한 개의 볼펜에 10가지 색깔이라니 정말 화려하고 예뻤다. 이렇게 다양한 색깔을 가지고 있으면 어떤 그림이든지 그릴 수 있겠다는 생각이 들었다. 나는 피아노를 쳤다. 내가 피아노를 다 칠 때까지 아무도 볼펜을 가질러 오지 않았다. 나는 그 볼펜으로 그림을 그려보고 싶었다. 그래서 주인 없는 볼펜을 가지고 집에 왔다.

나는 물건을 훔치지 않았다. 그저 있던 볼펜을 잠깐 써보고자, 주인이 가져가지 않아서 가져온 것 뿐이다. 그런데 엄마는 나에게 그건 훔친 것과 마찬가지라고 했다. 도둑질을 한 것이라고 했다. 억울했다. 나는 훔친 것이 아닌데, 제자리에 갖다 둘 생각도 있었는데. 사실 나도 내 마음을 모르겠다. 정말 가지려고 했는지, 아니면 잠깐 빌려올려고 한 건지 내 마음이 살짝 혼돈이 되기는 했다.

엄마는 종아리를 걷으라고 했다. 그리고 주변에 있던 기다란 자로 내 종아리를 두 대 때렸다. 엄청 아팠다. 눈물이 났다. 그리고 그날 이후로 나는 절대로 남의 물건에 손대지 않았다.

너. 엄마

고등학교 때 우리 학교의 환경은 열악했다. 학교 도서관도 운동장도 없는 이상한 학교였다. 그 당시 나는 책을 좋아했는데, 읽고 싶은 책을 빌릴 공공도서관이 집 근처에 없었다. 가끔 도서관에 가서 책을 빌리기도 했지만 꽤 멀리 갔어야 했고, 아니면 서점 가서 사야 했다.

고등학교 2학년 어느 날 교무실 청소를 하러 들어갔는데, 국어선생님 책상 위에 한국단편선이라는 하얀 표지에 두꺼운 책이 놓여져 있었다. 마침 교무실에는 아무도 없었다. 나는 선생님 물건이니 손대면 안되지만, 아무도 없는 틈을 타, 무슨 책인지 궁금해 살짝 들쳐 보았다. 국어교과서와 문학교과서에 한번 쯤 나왔던 중, 단편소설들이 다 들어가 있는 소설책이었다. 이 책 한 권이면 교과서에 나오는 모든 중, 단편들은 다 읽을 수 있을 것 같았다.

갑자기 이 책이 너무 읽고 싶었다. 이런 책은 어디서 구하기도 힘들 것 같았다. 그런데 국어선생님이 안 계신다. 고민이 됐다. 나중에 다시 와서 친하지도 않는 국어선생님께 이 책을 빌려 달라고 말하지는 못할 것 같았다. 그런데 읽고 싶다.

결정했다. 잠시만 빌려서 읽고 다시 제자리에 갖다 두기로 했다. 학생이 너무 책이 읽고 싶어서 그런거지 훔치려고 그런 건 아니니까. 책을 좋아하는 것이 죄는 아니니까. 내 나름의 합리적인 이유를 만든 뒤, 당당한 척 하지만 주변을 두리번거리며 급히 책을 가지고 나왔다.

그 책은 짧은 시간 읽기에는 너무 두꺼웠다. 그리고 책 진도가 생각보다 빨리 나가지 않았다. 점점 반납 날짜를 늦추다보니 다시 돌려놓을 수 없었다. 돌려놓다가 내가 가져간 것이 들통날까봐 두려웠다. 한마디로 난 진짜 도둑이 된 것이다. 하지만 나는 또 합리화를 했다. 책도둑은 도둑이 아니라는 어디선가 들은 말을 되뇌이며. 하지만 왜 도둑이 아니겠는가. 나는 결국 도둑질을 한 것이 되었고, 그 선생님께 아직도 갚지 못한 빚으로, 내 삶의 오점으로 남아있다.

딸이 못 보던 볼펜을 가지고 그림을 그리고 있었다. 피아노 위에 놓여있던 볼펜인데 예뻐서 잠깐만 가져왔다고 한다. 돌려놓을 거라고 한다. 나의 과거의 잘못이 떠올랐다. 잠깐 가져오는 것도 도둑질이 될 수 있기에, 다시는 주인 없는 물건에 손대지 말라고 처음으로 매를 들었다. 그리고 이 일을 계기로 나의 딸이 바르고 부끄럼없이 살 수 있기를 기도했다.

8. 인연, 지현과 청소 아주머니

나. 지현

회사에 아침 새벽부터 낮까지 청소를 항상 해주시는 청소 아주머니가 있다. 아주머니는 정말 친절하시다. 그리고 깨끗이 청소를 하신다. 내가 회사를 다니기 전까지는 이렇게 건물 청소아주머니와 인사를 해본 적도 말을 걸어본 적도 없다. 나도 이제 많이 컸나보다. 이런 분들이 눈에 보이고, 감사할 줄도 아는 것을 보면.

항상 아침이나 점심 때 한 두 번은 마주치기 때문에 나도 모르게 아주머니께 인사가 나왔고, 살갑게 느껴졌다. 우리는 편하게 사무실에 앉아서 일하는데, 나보다 나이가 많으신 분이 화장실까지 청소하신다는 것에 미안하기도 했고 돈을 벌기 위해 더럽고 힘든 일을 하신다는 생각에 약간은 안타깝기도 했다.

그런데 어느날 엄청난 이야기를 들었다. 그분이 아이 어린이집 앞에 있는 건물 주인이라는 것이다. 청소 아주머니는 건물 주인이지만, 집에서 있기 무료해서, 근처 회사에 나와 청소일을 하고 계신 거였다. 알고보니 나보다 훨씬 부자인, 내 입장에서는 갑부인 아주머니였다.

그 뒤로 몇 년 뒤 아주머니는 청소일을 그만두셨다. 몸이 안 좋아지셔서 그만 두셨다고 한다. 하지만 이제는 어린이집 앞에서 골목을 깨끗하게 쓸고 있는 아주머니를 마주친다. 정겹게 나를 보며 인사하는 아주머니를 보면 나도 정말 반갑다. 아이도 따라 같이 인사한다.

그리고 또 몇 년, 어린이집 앞 아주머니가 언젠가부터 안 보였다. 그런가보다 했는데, 길가다가 리어카에 폐지를 가득 채우고 끌고 가시는 아주머니를 보았다. "어머나, 아주머니 안녕하세요." 나의 인사를 아주머니가 반갑게 받아준다. "그래, 잘 지냈어?" "그런데 왜 폐지를 주우세요?" 아주머니는 집에 있으면 뭐하냐며 폐지라도 줍기로 했다고 한다. 하지만 아들이 폐지 주우러 다니는 아주머니를 엄청 싫어한다고 한다. 몸도 안좋으면서 게다가 폐지 줍는 일을 한다고. 아주머니라고 하기에는 할머니이신 아주머니. 힘들게 리어카를 끌면서도 집에 가만히 있는 것보다는 이렇게 움직이는 것이 좋다고 하신다. 이분을 보며 나의 직업에 대해 편견과 나도 나이 들어 어떤 일을 하던지 당당하게 할 수 있는 사람이고 싶다는 생각을 한다.

너. 청소 아주머니

내가 청소하는 이 건물에 일하는 회사원들은 참 인사성이 밝다. 나를 보면 항상 반갑게 인사해서 청소일이지만 참 즐겁게 일한다. 하지만 나이 먹어서 청소일을 하는 것은 좀 고되기는 하다. 그래도 아침 5시에 출근해서 2시면 퇴근하니 오후에는 편히 쉴 수 있어서 괜찮다.

큰 건물은 아니지만 내 건물도 있고, 3층에서 아들과 같이 살면서, 1층에는 아들이 카센터를 한다. 지하에 세를 내줬으니 내 용돈도 나오지만, 청소일로도 몸도 움직이며 돈을 버니 좋다.

이것도 몇 년 하니 이제 힘들어서 그만하고 건물 앞 청소만 했다. 그러다가 가끔 나가서 폐지를 주우면 돈도 조금 벌고 움직이겠다 싶어 이제는 폐지를 주우러 다닌다. 아들은 주변 시선 때문인지 그런 나를 정말 구박한다. 자기가 불효자라고 생각이 들 수도 있겠지만, 내가 돈이 없어서 하는 게 아니고, 움직이니까 나도 활력이 생겨서 좋으니까 하는 일이다.

시간이 지나, 이제는 폐지 줍기에는 기력이 부족해, 건물 앞 가벼운 청소만 하는데, 갑자기 차 한 대가 길을 가다 멈추고 창문을 내린다. 얼굴을 찬찬히 보니 청소일을 하면서부터 알게 된 그 회사 직원이다. 얼굴 안 본지 7여 년이 됐는데 알아보겠다. 저 직원, 아니 지금은 회사 안 다닌다고 했으니, 저 아줌마도 많이 늙었다. 그 고왔던 피부에도 주름이 꽤 보이니, 세월 참 많이 지났다. 유모차에 탔던 그 아이도 이제 벌써 초등학교 5학년이라고 한다.

9. 삶의 편린들, 나와 너희들

나1

활발하고 활동적인 나는 체육부장이다. 나중에 알았는데 대신 난 섬세하지는 못하다. 선생님이 나한테 아이들이 제출한 숙제를 갖다 달라고 했는데, 내가 깜박 잊고 집에 갔다. 다음날 학교에 왔더니 우리반 다른 아이가 대신했다고 한다. 내가 다음날 하면 되는 일인데, 내가 해달라고 한 것도 아니고, 그 아이가 나서서 한 거라 고맙다고 굳이 말하지 않았다.

너1

참 화난다. 자기 일도 안하고 집에 가버려서, 내가 대신 선생님께 아이들 숙제를 갖다드렸다. 그런데 뭔가 더 정리했어야 하는 일이여서 늦게 제출하면서 정리도 안됐다고 선생님은 내게 역정을 내셨다. 내 일도 아닌데 도와주는 입장에서 내가 왜 이런 대접을 받아야 하는지, 게다가 고마워하지도 않는 자기 잘난 맛에 사는 체육부장. 선생님도, 체육부장도 정말 싫다. 다음부터는 남을 돕는 것도 사람 봐가며 할 것이다.

나2

인터넷이 또 끊겼다. 이게 뭐람. 정말 열받는다. 왜 인터넷이 잘 안되냐고. 너무 열받은 상태에서 인터넷 서비스 센터에 전화했다. 직열이 잔뜩 나 있는 상태라 고성량으로 내가 얼마나 힘들었는지, 고통받았는지를 재빠르게 말을 뿜어댔다. 그리고 더 화를 내려는데, 직원이 말한다. “고객이 정말 화가 나셨겠어요. 얼마나 불편하셨어요.” 엥? 이건 뭐지? 이유를 대며 변명을 늘어놓을 줄 알았는데 갑자기 나는 당황했다. 내 마음을 알아주는 한마디에 나는 더 이상 화낼 수 없었다. 상대방이 전화 속 허상이 아니라, 나와 같은 인간으로 다가왔다.

너2

나는 콜센터직원이다. 지금은 법적으로 약간는 보호되지만, 20년 전, 우리는 엄청난 불평불만 또는 욕까지도 받아내야 했다. 나는 나름 베테랑으로 회사에서 인정받는다. 다른 직원들의 고객 불만사항 처리까지도 해결하는 나는 콜센터 팀장이다. 사실 고객의 마음만 진정으로 알아주면 쉽게 해결될 문제들도 꽤 있다. 이번 건도 인터넷이 끊겨 얼마나 불편했는지 고객의 마음을 인정해주니, 쉽게 이야기가 풀려나갔고 난 고객에게 사과의 의미로 다른 혜택을 주었다.

나3

아랫집에서 연락이 왔다. 자기 집 천장에서 물이 샌다고. 전세인 나는 집주인에게 전화했다. 집주인이 그럼 수리를 해야하니 아랫집에 언제 수리하러 가면 되냐고 물어봐달라고 했다. 아랫집에게 물어보니 바빠서 시간을 못 정하겠다고 다시 일정보고 연락준다고 한다. 그러면서 물이 새니 수리할 때까지 우리에게 물을 쓰지 말아달라고 한다. 짜증이 났지만 우선 세탁기도 안돌리고, 설거지도 화장실에서 했다. 1주일 정도가 지나고 주말이었다. 우리가 집에 비웠을 때 아가씨가 잠깐 집에 왔는데, 싱크대에 쌓인 설거지를 봤다. 착한 아가씨는 맞벌이 부부인 우리를 위해 설거지를 시작했다. 갑자기 울리는 핸드폰벨. 아랫집에서 난리가 났다고 한다. 물이 엄청 샌다고. 아가씨 덕분에 바로 수리날짜는 잡혔다. 참 사람들 못됐다. 자기들이 당하고 나니 그제서야 행동을 취한다.

너3

세상에 분명히 물이 새니까 윗집에 물을 쓰지 말라고 이야기했는데 이게 뭔가. 좋은 사람들인 줄 알았더니만… 물이 엄청 떨어진다. 그것도 더러운 설거지 거품물이. 바로 전화하니 집주인들이 아닌 친척이 왔는데 몰라서 설거지를 했다고 한다. 이건 무슨 날벼락인가. 공사하려면 우리가 집에 있어야 하는데 시간이 있을 시간이 없다. 하지만 안되겠다. 또 물을 쓴다면 큰일이다. 바로 내일로 날짜를 알려주고 우리집 천장을 수리해야겠다.

나4

무심한 아이, 연락도 없구나. 그러고도 친구라고 할 수 있냐. 도대체 무엇 때문에 바쁜거냐. 나도 너에 대한 관심을 조금씩 줄여야겠다. 너도 나에게 이렇게 관심이 없으니 나만 챙기는 것도 지치려고 한다. 관심이 없는 것이 아니라고? 그럼 관심이 있다는 것을 보여줘야지. 안부 전화도 하고, 내 중요한 일정도 기억도 하고, 네 생활에만 쫓겨 살지 말아야지. 맨날 미안하다고 말 듣는 것도 조금 지쳐. 이제는 일을 벌이지 않겠다고? 음… 과연….

너4

내 성격이 좀 그래. 좀 무심하지. 일부러 그런 건 아닌데, 연락을 통 못했네. 물론 너를 나의 가장 친한 친구로 생각하지. 내가 요즘 기억력이 깜박깜박해. 정말 치매 초기 증상이 아닌가 의심도 해보지만, 병원에서 검사받기는 무서워서 아직은 멀쩡하다고 믿고 있을 뿐이야. 근데 왜 이리 바쁘지? 이것저것 신경 쓸 게 너무 많네. 미안해. 내가 벌여놓은 일들 처리하느라 그래. 이제부터는 조금 여유 있을거야. 미안해. 분명히 여유 있을 상황이었는데 예상치 못한 일들이 또 생겼네. 진짜로 여유를 좀 만들어볼게. 약속할게.

나5

회사 밖의 삶을 나도 잘 알고 있어, 이런 월급을 다시는 못 받을 것이며, 회사 밖은 정글이라는 것을 나도 안다고 자신있게 말했다. 하지만 남에게 듣는 것과 내가 직접 겪는 것은 천지 차이였다. 나의 이상과 현실 사이에서의 간극을 줄이려고 애써도 처음에는 강한 자존심이 허락하지 않았다. 그냥 이상 속에서만 살고 싶었다.

하지만 인정하기로 했다. 하나둘씩 맨바닥부터 시작하기로 했다. 남들이 보기에는 바보처럼 보이지만 그렇게 나의 세계를 구축해 나가기로 했다. 이 길의 끝이 어디인지는 모르겠다.

너5

그러니까 내가 너한테 회사를 계속 다니라고 이야기했잖아. 우리 회사가 지금 좀 불안하긴 하지만 그래도 이런 복지에 이런 칼퇴에 이런 월급을 주는 회사는 많지 않다고. 왜 말을 안듣고 바로 나갔어.

물론 나도 그 뒤로 2년 뒤에 회사를 나왔어. 나는 계획이 다 있었지. 어떤 일을 할 지 회사를 다니면서 철저히 준비했지. 교육도 받고, 교육받느라 돈은 좀 들었어. 지금은 작은 가게를 하나 차렸어. 물론 코로나 때문에 고생을 좀 하긴 했지만, 지금은 자리를 잡아가. 내가 떨지 않고 말을 잘 하자나. 사람들을 잘 설득시키나봐. 손님이 늘고 있어.

그러니까 다음에는 너도 천천히 하나씩 꼼꼼히 계획을 세워. 아니 지금부터라도 하고 싶은 일이라고 바로 하지 말고, 네 인생의 계획에 맞춰, 5년 뒤, 10년 뒤의 모습을 상상하며 지금 네가 할 일을 찾아보는 거야. 급할 건 없어. 천천히 조금씩 날마다 생각하고 실천하면 돼.

나에게 보내는 자비로운 한 마디

내가 행복하길
바라는 것처럼
너와 나
모든 존재가
행복하길
바랍니다.

자

자

언니… 언니…

Prologue

나는 말로 인해 격려를 받고 자존감을 회복했다.
"우리 엄마가 좀 예쁘긴 해요."
"자자샘은 거기 있기 너무 아까운 사람이에요."
"에휴, 우리 언니 너무 바빠서 양말 정리할 시간도 없었구나."
일상에서 순간순간 마주치는 말들이었다.
누군가는 그랬다.
인문학은 말을 예쁘게 하는 것이라고

나는 말을 예쁘게 하지 못했다.
"내가 노예니?"
"니가 해 그럼"
"넌 항상 그런 식이야."
가시 돋힌 말로 가까운 사람들에게 상처를 입히곤 했다.

그러나 나를 성장시킨 것도 우연 찮게 만났던 말들이었다.
때로는 심장을 따뜻하게 어루만져 주기도 했고
때로는 너무 날카로워 멈칫하게도 했다.
그런 말속에 둘러쌓여 지금의 내가 되었다.
흘려 버릴 수 없었던 말의 조각들!
나를 살게 하는 말들을 인생 창고에 차곡차곡 쌓아두기 위해
다시 펜을 들었다.
언젠가는 말들이 내뿜었던 향기로 나도 누군가를 품어 줄 수
있겠지?

Episode1. 언니 토하고 나서 좀 쉬면 괜찮아 질꺼야.

오색 바람에 눈을 감았다. 몽골이다.

솔롱고스. 몽골 말로 무지개가 뜨는 나라 라는 뜻이다. 한국 사람을 일컫는 말이기도 하다.

몽골에서 밤마다 별을 안주 삼아 에덴을 먹었다. 한 모금을 먹었는데 어딘가 막힌 기분이다.

그럼 그렇지 위스키를 먹어 본 적도 보드카를 먹어 본 적도 없으니.

낮은 도수의 맥주나 겨우 마시던 실력으로 몽골에서 독주를 먹다니 탈이 날수 밖에…

중앙아시아의 오색 바람속에 울렁거린 내 속을 누가 알까.

“언니…… 언니……토하고 나서 좀 쉬면 괜찮아 질꺼야”

마치 의학의 아버지 히포크라테스가 환생이라도 한 듯 나를 치료해 주었다.

돌이켜 보면 그녀는 삶의 고비마다 나지막히 언니라고 나를 부르며 내 곁에 있었다.

생물학적으로는 내가 언니지만 그녀는 전생에 내 언니가 아니었을까.

Episode.2. 엄마 선물이야. 눈 감아봐.

아이들이 다섯 살, 여섯 살 때 속도 제어를 못하는 나는 달리기만 했다.

골프에 야간대학원에 3교대 감정노동자로 살면서 사실 앞이 어딘지도 몰랐다.

휘청거리던 엄마로 아이들과 보내는 열 일곱 번째 생일!

띵동! 택배가 왔다.

"엄마 선물이야. 눈 감아봐."

Dior 립스틱이다.

자세히 보니 뚜껑에 각인이 있다. Good Mom이라고 하얀 글자가 새겨져 있다.

몇 해 전 딸이 다니던 중학교에 갔을 때가 떠올랐다.

정문 앞에는 똑같은 교복을 입은 학생들이 Ctrl+C, Ctrl+V된 복제인간처럼 많았다.

이리저리 고개를 돌리며 찾고 있을 때 나를 먼저 발견한 딸이 멀리서 달려와 안아 주었다.

그땐 정말이지 세상을 다 가진 기분이었다.

아이들이 태어나고 육아휴직을 하지 않고 바로 회사에 출근했다. 그땐 그것이 후회되는 선택인 줄도 몰랐다. 살면서 아이들이 어릴 때 시간을 함께 보내지 못하고 워킹맘이었던 시간이 늘 미안했다. 긴 강을 건너와 돌이켜 보니 나를 좋은 엄마로 만들어 준 건 아이들이었다. Good Mom립스틱! 오래 간직 할께. 고맙다.

Episode.3. 청량사 싱잉볼 소리, 댕 ~

새벽 청량사에 가면 산안개가 반긴다.

히말라야 싱잉볼 소리를 처음 들은 건 어느 산꾼의 집에서였다. 일 년에 한두 번 산안개가 그리울 때 달려가던 곳이 청량산 청량사였다. 산으로 오르기 직전, 솟대가 요란하게 걸린 산꾼의 집이 눈에 띄었다. 몇 해 전 다시 청량사에 갔을 때 몹쓸 병이 들어 아래 마을로 내려갔다는 소식만 들었다. 지나가는 등산객에게 약차를 나눠주던 그는 '나도 누군가에게 그리움이고 싶다'는 자작시집 한 권을 주며 히말라야 싱잉볼 소리를 들려주었다. 나는 다시 주문진에서 노래하는 그릇 싱잉볼과 조우했다. 영롱한 백수정이 노래를 불러 주었다. 청량사에서 처음 들으며 고요한 침묵의 세계로 돌아간 듯 몸과 마음을 맡겨 본다.

잠시 그대로 모든 진동들이 멈추는 고요한 침묵 속에 가만히 머물러 보기를…

소리는 깊은 이완의 순간으로 가장 나다운 모습으로 다시 돌려 놓는다 .

이 모습은 일상을 살아가다 보면 잠시 잊고 지냈던 우리가 다시 만나야 하는 원래의 나의 모습일 수도 있다. 우리의 생각은 많은 부분이 외부로 향해 있다. 다시 의식을 내 안으로 가져와 나의 몸을 돌보고 내 마음을 돌보고 나의 원래의 모습들을 되찾아 가는 것이 명상일지도 모르겠다.

싱잉볼 소리를 통해 지친 몸과 마음을 어루만지고 잠시 멈추어 보았다.

댕~ 소리를 따라 가다보니

어쩌나, 나도 그만 편안해 진다.

주문진에서 100km를 달려 내가 사는 보금자리로 다시 돌아왔다.

3개월간 미뤄왔던 일을 슬금슬금 처리한다. 별거 아닌데 별거인 줄 알고 긍긍거렸다.

소리가 나를 다시 편안한 마음 상태로 돌보아 주었는지 나는 일상으로 돌아와서도 느리게 날숨을 쉬어 본다. 휴~

Episode.4. 글로 안 쓰고 뭐 하냐.

연년생 아들딸을 낳고 나는 다시 일터로 갔다. 100일이 채 안 된 아이들을 길 건너 사는 친정엄마가 돌봐 주셨기 때문이다. 친정엄마는 회사 퇴근 버스가 올 시간이면 푸른색 유모차에 큰 아이를 태우고 나와 나를 기다리곤 했다. 둘째 아이가 태어나고서는 각방을 쓰시던 부모님의 대화가 유난히 많아졌다. 외손주들을 키우며 하루가 다르게 새로운 것들을 발견 한 냥 이야기를 나누는 당신들의 눈은 반짝반짝 빛이 났고 입가에는 미소가 자주 번졌다. 그러던 어느 날, 둘째가 갑자기 뒤집기를 했던 날이었을까. 친정엄마가 갑자기 한 말씀을 하셨다.

너는 애들이 이렇게 예쁘게 크는데 글로 안 쓰고 뭐 하냐.

그 때 부터 다이어리에 육아일기를 쓰기 시작했다.

2008년 11월 26일

안아 달라 보채는 련이 곁에서 쓴다.

어제는 하도 안아 달라 보채서 하루가 지나 회사에서 이어 적는다. 태어난 지 76일째, 련이는 잠이 오는지 끙끙댄다. 눈을 감고 머리를 막 잡으며 먹는 모습이 무지 귀엽고 사랑스럽다.

2008년 12월 4일

어제는 비가 오더니 본격적으로 추워졌다.

영하 10도를 넘나든다. 어제 비가 오지 않았다면 련이를 아기띠에 싸매서 기차를 타고 민이를 보러 영주에 갈 계획이었다. 일요일에 아들을 보고 왔지만 더 보고 싶어서이다. 어제는 영주 할머니한테 돋보기랑 휴대폰을 가져와 눌러달라고 했다고 한다. 22개월 민이는 말은 못해도 그리운 것을 아는 것 같다.

가끔은 내 30대 인생의 기억을 지워버리고 싶었다. 워킹맘으로 사는 것이 너무 버거웠기 때문이다. 육아일기에 기록된 지난 삶을 돌이켜 보니 넓고 거친 강을 마침내 건너 온 것 같다. 현재는 나름 평화로운 시간을 살고 있으니 말이다. 친정엄마가 글로 써 보라고 했던 핀잔이 나를 기록하는 사람으로 살 수 있도록 만들어 준 말다운 말이 아니었을까.

Episode.5. 다 태워야겠어.

얼굴 한 번 본적 없는 할아버지, 할머니의 벌초 가는 날이다.

팔순의 나이에도 비탈길을 한달음에 오르는 이가 있으니 바로 내 아버지이다.

해마다 벌들이 출몰하는 가을이 오면 아버지는 며칠 전부터 달떠 있다. 올해도 낫과 장갑, 그 해 농사지은 곡식 몇 가지를 꼼꼼히 챙겨 벌초를 하러 나선다. 할아버지 할머지는 지금으로부터 약 60년 전에 먼저 가신 분들이다. 9남매중 재주가 많던 셋째 아들은 낫질을 하며 혼잣말을 한다.

"에이, 내 죽으면 벌초할 사람도 없는데 내년에는 이거 파서 다 태워야겠어"

작년 이 맘 때 이자리에서는 다른 말을 했다. 당신을 화장한 후에 재가 든 항아리를 깨고 바로 여기 부모님 옆에 묻어 달라고.

땅 한평 없이 살아온 사람들은 돌아갈 때 육척단신 누일 곳을 찾아야 한다. 그 모습이 늘 쓸쓸해 보였다. 올해는 아버지와 비탈진 묘옆에서 땅의 기운을 가득 먹고 자란 알밤을 주웠다. 딸자식과 함께 60년 전 떠난 부모를 찾아가 머리 숙여 절할 곳이 있어서 꼭 쓸쓸한 인생만은 아닌 것 같다는 생각이 들었다. 내년에는 낫을 들고 또 다른 말을 하시겠지? 가을 햇살이 유독 따뜻한 날이었다.

Episode.6. 좋은 문장을 꼭꼭 잡아 두세요.

타인의 슬픔을 슬퍼하는 시인 박준의 강의를 들었다.

시인은 봄에 태백으로 훌쩍 떠나 왔다. 봄이지만 그의 앞에는 낙엽이 떨어 졌기 때문이다. 추풍도 아니고 춘풍에 신춘문예에 떨어지고 무작정 일산 터미널로 갔다. 터미널 시간표에 알알히 박힌 도시를 멍하니 바라보다 한 번도 안 가본 도시에 가보고 싶었다. 마침 1시에 출발하는 버스가 있었다. 3월에 도착한 태백에는 봄눈이 소나기처럼 내리고 있었다. 마침 아는 사람이 아무도 없었다. 그 때부터 태백이 좋았다고 한다.

강의속에서 좋은 문장을 꼭, 꼭 잡아 두라고 했다.

“살면서 우리는 참말을 가끔씩 합니다.

그 참말, 종이에 붙잡아 두려 시를 쓰게 되었어요.”

나도 그렇게 심장을 멈추게 하는 말들을 가끔 만난다.

미운 말들로 가슴이 패인 날, 마음속에 쌓인 얼음이 봄눈처럼 녹아내릴 수 있도록 그 참말들을 저금한다.

며칠전 15년 만에 이사를 감행했다. 주말부부로 지낸 지 7년이 넘었고 이사, 집수리 등 필요한 순간에 남편은 늘 바빠서 옆에 없었다. 집수리를 해주던 분들이 급기야 사별한게 아니냐고 수군거리기까지 했다. 입주 청소도 소울메이트와 동생이 도왔다. 힘든 고비를 넘길 때마다 늘 옆에서 소리 없이 도와주는 이들이 있어서 기꺼이 해 낸다.

아버지의 팔순잔치와 15년 만의 이사가 하루에 겹친 날이었다. 서울에서 삼척에서 친척들이 모이고 이삿짐 정리도 산더미였지만 숨가쁜 하루의 끝에 팔순 잔치 상차림까지 도와준 동생들에게 한밤에 문자를 보냈다.

"고마워, 울 아빠 넘 좋아하심"

답장이 왔다.

"빨리자, 그만 고마워하고"

"고생 많았어. 내가 혼자였으면 못했을꺼야."

답장이 왔다.

"무슨말을ㅋㅋ, 항상 다 해내잖아. 혼자서도"

나도 박준 시인처럼 내가 받은 참말을 종이에 붙잡아 본다. 삶의 고비마다 말없이 함께해 준 소중한 사람들의 말들을.

Episode.7. 하늘보면서 사세요.

좋은 사람과의 만남은 좋은 기운을 준다. 자와와의 만남이 그랬다. 9살까지 몽골 고비사막에서 유목민으로 살았고 열 여섯에 몽골 곳곳을 누비며 운전을 했다. 자와에게는 이정표나 내비게이

션이 없어도 길을 잘 찾아내는 방향감각이 있었다. 울란바토르에서 서울행에 오른 후 동대문 시장에서 이삿짐센터 일부터 시작했다. 유목민의 타고난 체력으로 몸쓰는 일도 잘했지만 단지 한국어를 못한다는 이유만으로 차별을 당했다. 견디다 못해 한국어를 배우기로 결심했다. 한국어가 능통해 졌을 때 내가 뭘 잘못했냐고 정당하게 따져 묻자 일터에서 이유없이 나무라는 일은 없어졌다. 미아리 한국어학원을 다니면서는 개그콘서트를 즐겨 보았다. 남다른 유머감각과 낙천성으로 한국어를 재미있고 빠르게 습득할 수 있었다. 언어를 배워 자신감이 붙자 드넓을 초원을 달리던 NOMAD의 기상으로 세계여행을 했다. 이탈리아의 밀라노, 한국의 대구, 이태원에서 흑인 친구들도 사귀었다. 그런데 뭔가 안타깝고 불편했다. 몽골에서 밤마다 보던 별이 보이지 않는 곳에서 살아서 그런지 한국인들은 성격이 다급했고 일본사람, 미국사람, 유럽사람 할 것 없이 다들 자식을 위해 사느라 하늘의 별을 올려다 보지 않는 것 같았다.

몽골에서 만난 자와는 레이져 포인터를 들고 별자리를 더듬었다. 그리고 먼 길 5,000km를 달려온 시속 500km의 영혼들에게 말을 건네 주었다.

"하늘 보면서 사세요"

하늘 보라고 말했던 몽골의 여운은 꽤 오래 갈 것 같다.

코끝이 시큰해질 정도로 청량했던 게르촌의 아침 바람과 몽골에 두고 온 내 느린 영혼도…

Episode.8. 생일 축하해

여나가 뛰어 들어왔다. 사람 한명이 들어오면 꽉차는 우리집 현관으로. 얇은 머리칼이 세찬 비에 젖어 갈래갈래 갈라져 있다.

어룡 2사택 17동 3호였다. 48동까지 어른, 아이, 강아지로 밤낮 북적이는 까만 석탄마을이다. 한 동에 네 가족이 살고 있었으니 아파트로 치면 48층 아파트에 4라인이 사는 셈이다. 수입탄이 싸다는 계산법으로 국가에너지원으로 효자대접을 받던 석탄산업이 내리막을 치달을 때였다. 참으로 비인간적인 계산법이었나.

"생일축하해!"

'아. 음력 생일인데…'

시원한 소나기가 나리는 한여름의 일요일 오후였다.

비에 젖은 연보라빛 일기장이 여나의 손에 들려있다. 투명한 커버위에 빗물 젖은 새 일기장은 어린 소녀의 진심이었다.

두 정거장 거리의 시골길을 키작은 소녀는 달려왔다. 까만 물이 흐르는 비오는 제방뚝길이었을 것이다. 생에 몇 안 되는 고마웠던 기억이다.

스무 살이 되어 청량리역 근처의 친구집에서 여나와 재회했다. 여나는 이미 고등학교를 안다닌지 오래였다. 아이러니하게도 그녀의 오빠는 신학대학원생이었다. 시골티를 내지 않으려는 듯 머리 색깔은 인디언 엘로우 칼라였고, 말씨조차 교양있는 사람들이 두루 쓰는 서울 표준어로 변해 있었다.

말 못할 거리감을 느꼈고 홀로 집으로 돌아오는 강릉행 통일호 기차에서 생각했다.

비가 억수같이 내리던 그날의 오후를…

자그마한 그 소녀의 손에 들린 600원짜리 보라빛 일기장을 떠올렸다. 수십 년인 지난 지금, 마흔을 넘긴 내가 삶의 고비에서 허덕일 때 꺼내 볼 수 있는 따스한 순간이다. 이 추억 하나면 10년은 든든하게 버틸 수 있을 것 같다. 이런 기억 하나쯤이면…

Episode.9. 새로 오셨네

금수산장 식당에서 된장이 숭숭 풀린 콩나물국으로 아침 식사를 했다. 아침 명상에서 괜찮아 그럴 수 있어라는 자비로운 문구를 들어서 인지 모든 것이 괜찮은 아침이다. 누군가 해주는 따스한 밥도, 말없이 일어서서 주걱을 쥐고 밥과 국을 떠주던 미숙님의 따뜻한 마음도, 대표님의 혈액형 맞추기 게임도, 마니또 현경님과의 만남도, 희진님의 다정함도, 낮은 바리톤 목소리의 두희님도 다 괜찮다.

매 끼니 내가 좋아하는 두부 반찬이 나오는 식사를 하고 있다. 두부의 부드러운 식감이 느껴질 정도로 오감을 예민하게 만들어 주는 숲속 식단이다. 요사이 몽골에 가고 싶은 꿈을 자주 꾼다. 5000Km정도는 멀리 가야 내게 휴식을 줄 수 있을 줄 알았다. 금수산장까지 차로 2시간 달려왔을 뿐인데 휴식이 왔다.

산장을 지키며 식당을 운영하는 금수산장팬션 식당 앞에는 하산주라는 안내판이 유혹한다. 그 옆에는 시원한 동동주라고 써 있다. 삼겹살, 백숙, 청국장 같은 식사 메뉴에 난생처음 들어보는 하산주, 그 옆에 갑자기 형용사가 등장하여 동동주라는 단어에 꾸밈을 주고 있다. 국문학 문법으로는 어색한 나열이지만 산수유 떨어지는 가을 상천리에는 어색하지 않은 맞춤법이다.

저녁 식사를 하러 들어갔을 때 식당사장님은 일행이 앉은 식탁으로 밥솥을 가져와 밥을 퍼 주셨다. 여사장님은 마치 우리와 산행을 같이한 일행인듯 자연스럽게 대화를 했다.

"내 얘기도 책에 나오나요? 뭐라고 쓰실 거예요?"

입맛 돌게 하는 각종 산야초 짱아치와 버섯과 두부가 가득 들어간 푸짐한 찌개 맛을 지면에 담을 수 없어 아쉬울 뿐이다. 마지막 날 아침상에 오른 호박전 맛은 잊을 수가 없다. 텃밭에서 바로 따올린 듯한 울퉁불퉁한 호박은 전의 모양을 하고 있지만 어쩐지 뒷판이 거뭇거뭇하다. "딴 생각 하느라 태웠어" 라고 고백하신다.

무슨 생각을 하셨을까. 경상도에서 시집와 이곳 산수유가 흐드러진 상천리 마을에서 20년을 살아온 여 사장님은 여장부같기도 하지만 새심하게 처음 온 사람을 알아 본다.

"새로 오셨네"

사실 늦게 도착해서 처음 가는 식당에 처음 보는 사람들 틈에 있었는데 이를 알아보시고 알은채를 해 주셨다.

"막걸리 한잔 드려?"

갑자기 눈을 마주치며 긍정의 표시를 한 우리는 막걸리로 인해 아니 사장님의 친절함으로 인해 처음 만난 식탁에서 어렵지 않게 대화를 나누었다. 힐링 디자이너 희선님이 막걸리에 대한 재미있는 경험담을 이모저모 들려주는 사이, 새내기 작가들의 이야기꽃은 금수산 보름달처럼 무르익어 갔다. 산속의 가을 공기는 아직 한파를 머금지 않아서 편안했고 숙소로 걸어가는 길에 황금빛 낙엽 양탄자가 지천이었다. 기상이변인지 기후변화인지 어제 예기치 않게 우박이 우수수 떨어져 이런 멋진 풍경이 연출되었다고 한다. 그날 밤 금수산 위에 뜬 보름달만큼 알찬 내일을 기대하며 다시 나만의 글방으로 갔다. 산사의 공기 때문인지 꽉 찬 달빛 때문인지 여사장님의 편안함 때문인지 금세 단잠에 빠졌다.

Episode.10. 넌 이미 현명해

매듭짓는 것이 쉽지가 않다. 빨리 하려다 보니 오히려 꼬여서 시간을 더 잡아 먹는다.

급하면 체한다고 했던 옛말을 떠올려본다. 이게 뭐라고 이렇게 매듭이 안 지어 지지?

어떤 일을 함에 있어서도 하나의 일을 매듭짓는 일도 마찬가지겠지?

다같이 배운 매듭법인데 잘 안되니까 어느 순간 나만 다르게 꼬여 있는 매듭의 모양이 부담스럽게 다가왔다. 이 때 친절하게 끝까지 지도해 주신 선생님이 계셔서 해낼 수 있었다. 10년전에 야간 대학원을 다닐 때 사회복지조사방법론 통계수업이 있었다. 고등학교 때 포기한 수학이 되살아 나는 듯한 기억에 좀처럼 집중이 되지 않았다. 수업을 듣는 학생은 열 명 정도 되었고 나는 뒷줄에 앉아서 수업 집중도가 낮았다. 헌데 교수님이 뒷줄에까지 오셔서 일일이 알려 주시는 바람에 집중을 안 할 수가 없었다. 결론적으로 그 수업은 A+를 맞아 그 학기에 성적우수장학금을 받게 되었다. 대학교때 하루 1시간씩 PC실 개폐를 돕고 근로장학금을 월 8만원씩 받은 적이 있다. 그 이후로 처음 받은 장학금이었다. 감개무량한 순간이었다.

잘 못 따라가던 나를 끝까지 지도해 준 선생님이 없었다면 해낼 수 없는 결과였다.이번 매듭도 마찬가지였다. 나는 어려운 것은 회피하는 습관이 있다. 이거 어렵네. 내 것이 아닌가 보다. 생각하면 집중력이 어느새 흐트러진다. 이번에는 10년 전 그 교수님처럼 치유나무숲 아웃도어연구회 대표님께서 끝까지 알려주시고 바로잡아 주면서 마지막 한 줄의 매듭까지 지어주셨다. 애써 팔찌 하나를 만들고 보니 다음 단계인 걱정 인형은 좀 수월했다. 덕분에 글쓰기 숲치유 1기생들은 걱정 인형을 완성할 수 있었고 각자 이름을 지어 주었다.

뿌듯한 마음도 잠시 걱정을 가득 품은 이름들이 탄생했다.

속은 너무 여린데 강한 캐릭터로 살아야 했던 나무에게 걱정이는 말해 주었다.

“너 그동안 할만큼 했어. 안아줄게”

조금 자신감이 떨어져 있다던 분홍이에게는 “지금 이대로의 너도 참 좋아, 화이팅”

은퇴후가 한참 걱정인 패쓰에게는 “앞으로도 지금처럼 열심히 잘 해 낼거라 믿어”

살면서 늘 일등을 해야 했던 일등이에게는 “넌 이미 지금도 충분히 일등이야”

그리고 무거운 짐을 지고 사느라 허리가 휘어 버린 자자에게는 “넌 이미 현명해. 너가 이제 그만 내려놓고 쉬어야 한다는 것을 잘 알고 있잖아”

그렇게 걱정인형들은 자기 걱정을 고백했고 다른 걱정이들은 격려와 화이팅을 건넸다.

금수산 자락에서 폭포소리를 들으며 우리는 잠시 멈추었고, 걱정을 가을 바람에 날려 보냈다. 그렇게 셀프바비큐와 불멍을 하며 글쓰기숲치유의 마지막날 저녁을 갈무리했다.

그날밤은 “걱정을 해서 걱정이 없어지면 걱정할 일이 없겠네” 라고 말해 주던 힐링디자이너 희선님이 들려준 티벳속담 이야기를 생각하며 걱정인형을 배갯속에 묻고 단잠에 들었다.

Episode.11. 괜찮아. 그럴 수 있어

아침 6시 30분 알람 소리에 몸이 자동반사적으로 벌떡 일어났다. 오랜만에 아침이 개운했다. 몽골여행에서 게르의 아침이 떠올랐다. 아침에 눈을 떠 대자연의 풍광을 눈에 담고 싶어 몸을 빨리 일으킬 때의 가벼운 그 감각이었다. 이른 아침이지만 밖에서는 벌써 누군가 도란도란 책 이야기를 하고 있었고 검은색의 아담한 텐트에는 랜턴이 반짝이고 있었다. 비박과 빙박을 즐기는 산돌이네 텐트였다. 산돌이는 원래 돌고래로 데이났지만 산에 가서 사유와 번뇌와 희망을 찾고 있는 중인 소설 속 등장인물이다.

산돌이는 자연속에서 비박을 해서 인지 오늘도 맑은 얼굴로 차 한잔을 대접해 주었다. 사계절의 기운을 가득 담은 찐녹차라고 했다. 작은 텐트안에서 라벤더 향이 부르는 것 같아 누가 먼저랄 것도 없이 텐트안에 둘러 앉아 담소를 나누었다. 밤새 찬바람에 있던 매트가 오히려 따뜻했다.

조용하고 청량한 가을날이다. 아침에 눈을 떠서 보이는 칼라는 가을 낙엽의 편안한 갈색톤, 폭포 아래의 투명한 물빛 그리고 그것들은 모두 감싸고 있는 안개속의 연한 흰색 뿐이다. 상기된 목소리로 간밤에 일어난 사건 사고를 읊어주는 아나운서도 없고 독촉하며 깨워서 학교를 보내야 할 청소년들도 없다.

가만히 눈을 감고 큰 돌 위에 앉아 본다. 다행히 찐 녹차와 따뜻한 담요가 있어 찬공기가 들어올 걱정은 없다. 손을 비벼 열감을 느낀다. 양의 감각을 따라 날숨을 더 깊게 쉬어 본다. 옆구리

뒤쪽에 손바닥을 대고 평소에 소홀하게 대했던 췌장에게 따뜻한 기운을 불어 넣어 주었다. 아침 7시 15분, 코끝이 쨍하고 약간 시리다. 옆에서는 폭포가 한 번도 쉬지 않고 흐르고 있고 글쓰기 동료들이 함께 하고 있다. 싱잉볼 소리를 따라 깊은 호흡의 순간으로 빠져 들어가 본다. 그런데 이게 왠 일인가. 평소에 잘 훈련되었을 거라고 생각 했던 뇌가 말을 듣지 않는다. 최근에 만났던 어떤 사람이 떠올랐다가 페이스북에 올렸던 10년 전 사진이 생각속을 떠다니더니 책 리뷰를 적었던 짤도 명상을 방해했다. 설상가상 다리가 저려 온다. 폭포명상은 내 스타일이 아닌가 보다. 긴장한 탓인지 편하게 앉지 못하고 다리를 겹쳐 앉았다. 요가 할 때도 남좌여우로 앉는데 당연한 사실조차 잠시 망각했다.

명상을 이끌어 주시는 대표님이 말한다.

의식이 다른 곳으로 달아나도 “괜찮아, 다시 돌아오면 돼, 그럴 수 있어”라고 마음속으로 말해주라고 한다.

아, 괜찮은 거였어. 그럴 수 있는 거지. 너무 애쓰며 살지 말라고 다시 한 번 자연에서 배워본다.

둘째날 아침 금수 산장옆 작은 폭포로 다시 모였다. 경사진 바위 위에 두 줄기의 물이 흘러내린다. 다정하게 만나 하나의 못을 만들어 놓은 곳이다. 주변에 넓적한 바위들이 있어 자리를 잡고 이틀째 아침 명상을 했다.

손에 깍지를 끼고 내쉬는 호흡에 등을 동그랗게 말고 시선은 배꼽을 본다. 나만의 편한 호흡을 찾는다. 몸을 늘려줄 때는 날숨으로 긴장을 풀어준다. 들숨은 짧아서 긴장을 하게 만들기 때문이다. 노래하는 그릇의 신호에 맞춰 눈을 감아 본다. 오늘은 어제보다 편안하다. 겨울을 준비하는 날씨가 코끝을 시리게 만들지만 나쁘지 않다. 손을 접었다 폈다 하면서 의식을 깨워 현재의 자리로 가져온다.

어떠셨나요?하고 산돌이가 묻자 일등이가 대답한다.

“3일간의 명상은 나에겐 번뇌였습니다. 이 좋은 곳에서 생각이 자꾸 떠오르네요”

“자연스러운 겁니다. 원래 생각은 들락날락하는 겁니다. 저도 그러니까요.”

나무가 대답한다

“저는 따뜻함이었습니다”

“열감이 느껴지셨군요. 좋습니다.”

분홍이가 말한다

“저에게 아침 명상은 폭포수였습니다. 에너지가 저에게 전달되는 것 같았기 때문입니다”

“맞습니다. 잘하셨어요”

패쓰가 마지막으로 소회를 나누어준다.

“명상은 나에게 푸근한 쉼이었습니다. 편안해졌기 때문입니다”

“그러다 보면 참나를 만날 수 있을 겁니다”

자자가 대답한다.

“오늘은 발이 저리리 않았습니다. 왜냐하면 어제보다 편안해졌기 때문입니다”

“첫날 왔을 때 무언가 눈동자가 불안정해 보였는데 지금은 안정돼 보이시네요”

손을 모아 따뜻하게 만들고 눈에 갖다 대어 본다. 눈에 너무 힘을 주고 살았다. 우연히 사진에 찍힌 내 모습을 보고 왜 이렇게 눈에 힘이 들어가 있을까 생각한 적이 있었다. 직무 특성상 모니터를 보고 분석하는 일을 했었다. 내가 출근하는 모습을 모니터로 지켜보는데 다리보다 머리가 앞으로 더 나온 채 무언가 바쁜 사람처럼 출근하는 모습을 여러 번 재생해 보았다. 무언가 어색했기 때문이기도 했고 내가 저렇게 바쁜 자세로 엉거주춤하게 걷는다는 것이 충격이었다. 그 후 보행하는 자세를 좀 여유 있게 바꿔보려고 한동안 노력했었다.

지금 여기 숲에서는 그렇게 노력할 필요가 없다.
따뜻한 차
눈이 편해지는 물멍
마음이 맑아지는 폭포명상
가을의 빛깔까지 모두 자연스럽기 때문이다.

Episode.12. 지금부터 시작이다.

금수산 자락에서 만난 글벗들에게

홍대표님

'손님이 오지 않는 집은 천사도 오지 않는다.' 이슬람 속담인데요. 치유나무숲에서 요정같은 손님들을 만나게 해 주셔서 감사합니다. 대표님의 수고로움에 저의 하루도 글쓰는 요정님들의 하루도 반짝 반짝 빛이 나기 시작했어요.
왜 글쓰기가 치유라고 했는지 숲치유가 글쓰기라고 했는지 알 것 같아요. 가슴 뭉클한 무언가를 배우고 돌아갑니다.
산수유마을에서의 며칠 잊지 못할거 같아요.

– 시월의 어느 멋진 날에 두손모아

일등아.

일등이에게 고백할 게 있어. 실은 일등이의 글을 한 번에 다 읽었어. 약간의 ADHD가 의심되는 부산스러운 내가 한달음에 글을 읽다니, 분명 일등이의 글에는 뭔가 당기는 힘이 있더라고. 그래서 몰래 칭찬해 주고 싶었어.
용담폭포에서 박정원 작가님 오셔서 우리가 한달 동안 썼던 글에 대해 합평회할 때 종이와 펜 빌려줘서 너무 고마웠어. 사실 나 메모 중독이거든.

덕분에 메모한 걸로 그날 밤 글쓰기 숙제 바로 수정할 수 있었어. 어디에서도 누군가에게 도움을 주는 일등이의 모습을 배우고 돌아가네. 작가로 다시 만나자는 원대한 꿈을 가져본다. 늘 파이팅~

– 산수유 떨어진 마을길을 함께 걷던 이로부터…

분홍이에게

분홍아.
만나서 넘 반가웠고 새삼 알게 되었어, 온라인으로도 좋은 만남을 가질 수 있다는 것을. 그게 글쓰기 숲치유 만남이라서 더 좋았구.
너가 그랬지?
내가 명상을 진행해야 한다고 했을 때 나는 차분한 성격이 아니어서 못한다고 했더니 그러니까 더 해야 하는 거 아닐까요?라고 했잖아. 그 한마디에 설득이 되더라고,
처음 만난 분홍이에게 뭔가 인사이트가 있는 말을 들어서 힘이 났어. 어떤 책을 주면 좋을까. 글방에 대한 걸 골랐어. 글에 대해 관심이 많은 것 같아서. (실은 최근에 만난 김도연 작가의 강릉바다책을 선물하려고 했는데 아직 도착하지 않았어) 신선하고 가슴 뻥 뚫리는 글 너무 좋았구 앞으로 작가의 모습으로 만나면 더 신날 것 같아.
참, 그리고 나지막한 목소리와 차분함이 사람을 참 편하게 해 줘~
그게 산림치유하는데 큰 장점인 것 같아서…
나, 참 말 많다. 이만 줄일께. 지면이 없어서 ㅋㅋㅋ

– 글쓰기숲치유 첫 번째 마니또로부터

패쓰야.

글쓰기 숲치유 마지막날, 고기 맛있게 구워 줘서 정말 고마웠어.
참, 그날은 패쓰가 베스트 드레서였었지? 노랑 바지가 가을숲에 참 잘 어울렸지.
멋진 아빠로 살았고,
부지런한 작가로 글썼고,
성실한 직장생활도 했고,
장남으로도 할 도리 다 한 거 같아.
사실 나도 장녀 콤플렉스 있거든.
영상을 보는 듯한 생생한 글,
앞으로도 볼 수 있기를 바라고 응원할게

–용담폭포 암벽을 함께 오르던 글벗으로 부터

나무야.

처음 금수산장을 못 찾아 헤맬 때 전화로 목소리를 처음 들었어.
"혜자님"이라고 부르며 안내해 줄 때 정말 다정한 사람이구나 하고 느꼈지. 덕분에 남은 일정에 대한 낯선 시간도 금세 날려 버릴 수 있었어. 풀멍 시간은 베스트 오브 베스트였어.
사실, 남편에게 쓴 편지 읽고 싶었는데 읽다가 울까 봐 킵했어.
오직 이유없는 다정함만으로라는 김연수 작가의 책 제목이 너무 좋았는데, 이 곳 산장에서 친절한 사람을 만나 행복했어. 나도 그런 힐러가 되고 싶어. 가을 피크닉을 준비해줘서 너무 고마웠어.

– 글쓰기 숲치유 1기 동기로부터

기억공장 대표님

힐링하던 순간, 글쓰던 순간, 마음 찡했던 순간, 잠시 멈추었던 순간, 순간의 놓치면 휘발되는 장면들을 모두 기록해 주셔서 감사합니다. 소중한 순간들을 놓치지 않도록 저희도 펜을 놓지 않고 살아 볼테니, 감독님도 그렇게 카메라 들고 이 시대의 고독한 할머니, 할아버지들 많이 담아 주세요. 강원도 태백에서 늘 박수 보내겠습니다.

– 시맷골 용담폭포에 함께 올랐던 새내기 작가로부터

Epilogue.

가을날 산장에서 함께한 글벗들에게 편지글을 썼다. 자정을 넘기는 시각이었다. 자시가 넘고 보니 작년 이태원 압사 사고가 있던 날이었다. 추모의 의미를 담아 편지를 리본 모양으로 접었다. 말을 예쁘게 하는 법을 아직 훈련 중인 나는 지면을 통해 마음을 전하는 방법을 택했다. 나는 말보다 글을 더 선호했다. 20년 전 민속촌에서 일할 때 강원도 산골뜨기인 나에게 정을 많이도 나눠 주시던 할머니, 할아버지를 기억한다. 민속촌을 그만두고 강원도에 내려와 같이 일하던 할머니, 할아버지에게 연하장을 40장씩 보냈다. 전시 가옥에서 같이 일하던 분들이 40명 정도 되었기 때문이다. 연말이면 연하장을 한가득 사서 자정까지 볼펜을 꾹꾹 눌러가며 마음을 전했다. 연습장을 찢어서 마음을 전하듯 연습하다 보면 나도 예쁜 말을 자연스럽게 하는 사람이 될 수 있겠지? 숲에서 만난 편안한 글 친구들 덕에 20년 전 글쓰던 밤, 마음을 전하며 행복했던 나를 만났다. 그렇게 인생 창고에 예쁜 말들을 채워나가련다. 나를 살게 하는 말잔치는 지금부터 시작이다.

나에게 보내는 자비로운 한 마디

바람부는
그곳에서도
그대,
부디
편안하기를

홍광국

똥파리 걷다

등장인물

– 똥파리

원인 미상 갑자기 파리로 변해버린 존재. 폭력 피해자로 불안정 애착이 심하며, 화가 많고 불안이 높다. 세상의 존재들과 소통하기를 좋아하며, 실존에 대한 관심이 많다.

– 한우

순하고 인내심이 크다. 도살장으로 끌려가기 전 우연히 똥파리를 만나서 목숨을 부지한다. 의리를 중시하며 그 인연으로 함께 여행한다.

– 산돌

가출 후 어쩌다 보니 산에 머물게 된 돌고래. 똥파리와 한우를 만나 여행을 떠나게 된다. 호기심이 많고, 모험을 좋아한다.

– 잠시 스쳐 가는 존재들

집토끼 네잎, 여성 환경미화원, 남성 화장실 이용객, 소 주인 등

– 앞으로 나올 존재들(예고편)

성실한 개미, 화려한 사마귀, 엄청 차가운 모기, 아리송송 우렁이, 우울한 달팽이

Episode 1 달콤한 꿈을 이제는 끝낼 때

개구쟁이 스머프 노래를 흥얼거리며 신나게 달리는 소년이 보인다. 랄랄라 랄랄라 랄라랄랄라~ 녀석의 방방 거리는 발걸음을 보며, 저리 신이 나서 가려는 곳은 어딜까 자못 궁금해진다. 혹시 누군가가 그리도 간절히 원했던 저 푸른 초원, 그 언덕 위에 그림 같은 집을 짓는 것처럼 소년은 자기만의 아지트를 만들러 가는 것일까?

소년은 마치 구름 모터가 달린 것처럼 붕붕거리며 따뜻한 봄 기운을 가득 머금고 아지랑이가 지천으로 올라오는 밭두렁과 냇가를 내달린다. 밭에는 복수초도 보이고, 냉이를 포함한 잡풀들이 빼꼼히 머리를 내놓고 있다. 청명한 햇살을 담아 겨우내 꽁꽁 얼어있던 계곡의 얼음을 맑게 우려낸 마치 투명한 유리구슬들이 크고 작은 돌에 부딪히며 통통거린다. 혹시 돌을 밟고 넘어질까, 물에 빠질까 봐 약간은 조심할 법도 하지만 소년은 아무렇지도 않은 듯 첨벙거리며 시냇물에 신발을 담가 버린다. 그러다가 뼈 시린 물에 정신이 번쩍 들었는지 “아이 차가워, 다 젖어버렸네, 엄마한테 엄청나게 맞을 텐데 어쩌지, 에이 모르겠다.” 웅얼거리던 소년은 이윽고 배가 고팠는지 흐드러지게 핀 진달래꽃을 한 움큼 쥐어 입에 밀어 넣는다. 진달래꽃 옆에 있던 보들보들한 찔레 순도 후루룩 훑어내어 껍질을 살짝 벗긴 후 잘근거리며 계속 어디론가 걸어간다. 어느덧 전설의 고향에 나오는 장면처럼 산딸기 덩굴 무덤이 펼쳐진다. 소년의 눈은 휘 까닥 뒤집혀 까무잡잡한 날벌레들이 붙어 있거나 말거나 탱글탱글한 산딸기들을 따서 허겁지겁 입에 밀어 넣는다. 이내 시큼하면서도 상큼한, 그리고 씁쓸하면서도 달큼한 오묘한 맛과 향 때문인지 소년의 미간은 살짝 찌푸린 표정이 된다.

조금 전까지 신나게 숲길을 달리던 남자 꼬마는 국민학교 4학년쯤 되이 보인다. 그 녀석은 이제야 목마름과 배고픔을 달랬는지 잔디밭에 벌렁 드러누워 어릿한 미소를 짓는다. 살랑거리는 봄바람에 뭉게뭉게 피어나는 하얀 구름을 흐릿한 눈으로 바라보며 뭐라 말한다. “넌 네잎이랑 참 비슷하구나, 네잎이도 너처럼 새하얗거든.” 그러자 뭉게구름 한 조각이 그 말에 반응이라도 하듯 천천히 하얀 토끼로 변하는 것처럼 보였다. 긴 귀를 쫑긋거리며 두 손으로 클로버를 집어 먹던 토끼 네잎이가 우물쭈물하며 운을 뗀다. “야~ 쑥스러워서 사실 이제 와 말하는데 네 덕분에 배곯지 않고 지냈던 것 같아. 지난번에는 내가 너무 정신없이 떠나와서 고맙다는 인사도 못 했지, 미안해.” 삐뚜름한 표정으로 네잎이의 말을 듣던 소년이 돌연 화를 내기 시작한다. “인제 와서 뭐가 미안한데, 도대체 아무 말도 없이 날 떠나버릴 거라면 왜 나한테 그리 살갑게 군거야? 내가 그렇게 만만해 보였어.” 소년의 말을 듣던 네잎이가 속상하고 억울하다는 표정으로 외친다. “아니야, 그런 게 아니야, 난 너를 정말 좋아했고, 오랫동안 함께 지내고 싶었어. 그런데 내가 어떻게 할 수 없는 상황이었어. 그건 너도 잘 알잖아" 고개를 주억거리던 소년이 우물거리며 말을 잇는다. "친구들이 냄새난다고 나를 놀리고 괴롭혀도, 네잎이 너만은 나를 따뜻하게 바라봐 주고 손을 내밀어 주었잖아. 그래서 너와 영원히 함께 있고 싶었어." 옻나무 잎을 흔들던 바람이 살랑거리며 소년의 뺨을 스쳐 저 하늘 위 구름을 향한다. "친구야, 함께 있어 주지 못해 정말 미안해, 정말 뭐라고 말해야 할지 모르겠어. 하지만 이렇게 뭉게구름이 피어오르는 하늘을 바라볼 때마다 우리 만날 수 있잖아. 그러니 조금만 슬퍼하고 서로를 잊지 말자. 그렇게 해줄 거지." 봄기운이 완연한 푸른 하늘, 토끼 모양의 구름은 화가 나 씩씩거리는 소년을 지긋이 바라보다 바람을 타고 소년의 눈가로 흘러내린다.

"야~ 뭐하니, 일어나, 여기서 잠들어 있으면 어떻게 하니. 해가 곧 지려고 하는데, 넌 참 대책이 없구나." 소년의 어깨를 세차게 흔들며 깨우는 사람은 20가구 남짓 사는 산골짜기 동네의 두 살 많은 형이었다. "이제 집에 들어가 봐, 너희 집에 모였던 동네 사람들도 모두 다 돌아간 거 같더라. 너 아까 학교 끝나고 집에 들어가자마자 뛰쳐나오는 모습을 봤는데 괜찮니?" 소년이 말한다. "형, 내가 집에 갔다고, 기억이 안 나. 여기 뒷산에서 뛰어다니며 이것저것 따먹고 잔디밭에서 잠이 든 것 같아." 안쓰럽다는 눈길로 소년을 바라보던 동네 형이 소년의 등을 토닥이며 달랜다. "그래, 네가 그토록 애지중지 키웠던 토끼를 동네 사람들이 술안주 한다고 토끼탕을 만들었으니 너도 참 충격이 클 거다. 나도 너희 집 앞에 걸린 토끼 가죽 보고 깜짝 놀랐어. 그러니 너는 오죽하겠니. 그래도 집에는 들어가라." 이어서 동네 형은 꼭 알려줄 중요한 말이라며 “너희 엄마도 술 많이 드셔서 주무시는 것 같더라. 괜히 걸리면 술주정으로 두들겨 맞을 수 있으니 지금 조용할 때 얼른 들어가, 알았지.”

소년은 너덜거리는 몸과 마음을 일으켜 세워 터벅거리며 집으로 향한다. 아픔과 슬픔을 잊기 위해 오히려 즐겁고 행복한 척, 고통스러운 기억에서 벗어나기 위해 자신도 모르게 기억을 지우는 소년. 기억 저 어딘가로 떠나간 네잎이라는 이름의 토끼와의 추억을 담은 트라우마를 벗어나기 위해 신나는 개구쟁이 스머프 노래를 부르는 억지스러운 꿈. 솜사탕같이 달달한 그 꿈을 이제는 斷(끝낼 ‘단’) 꿈 해야 할 때가 왔나 보다.

치유나무숲

Episode 2 어떤 변신은 멋지지 않을 수도

아침마다 ○○국민학교에 가기 위해 소년과 소년의 엄마는 한바탕 전쟁을 치른다. 특히 이제처럼 마을 사람들이 소년의 집에 모여 동네잔치를 한 경우 다음 날 아침의 허둥거림은 더욱더 심해진다. "너는 물체 주머니 사려면 미리 말을 했어야지, 갑자기 아침에 말하면 어떻게 하니. 윗집에 가서 돈 빌려와야겠다. 하여튼 제 아비 닮아서 우묵하고 대책이 없다니까." 붉게 충혈된 흐릿한 눈빛과 헝클어진 머리칼을 가진 그녀는 진한 술 냄새를 풍기며 마치 미친 여자처럼 고함을 친다. 잔뜩 주눅이 들어버린 소년은 이러지도 저러지도 못하고 구멍 난 엄지발가락의 한쪽 양말을 쳐다보며 그녀의 눈치만 보고 있다. 그러다가 상상의 공간으로 도망친 소년은 스스로에게 말한다. "저 여자는 내 친엄마가 절대 아닐 거야. 저 여자가 예전에 말한 것처럼, 나를 잠시 여기에 맡겨놓은 친부모가 이 세상 어딘가에 분명히 있을 거야. 그분들이 언젠가 나를 꼭 찾으러 오겠지."라는 희망찬 자기 격려와 함께 행복한 단꿈에 빠져든다.

이때 갑자기 오른쪽 뺨이 화끈 얼얼해진다. 오른쪽 코에서 피가 폭포수처럼 터져 흘러내린다. “어라~ 여기는 학교인가. 아까 분명히 집이었는데 언제 학교에 와 있는 거지.” 이상하다고 느낄 새도 없이 선생님의 발길질이 날라온다. “이 새끼야, 너는 도대체 체육 시간에 무슨 딴생각을 하는 거야. 몇 번을 애기해도 고쳐지지 않으니 맞는 수밖에 없지.” 소년 주변에 친구들이 웅성거리며 모여든다. 놀란 표정으로 발을 동동거리는 애들, 고소한 표정으로 옅은 미소를 짓는 애들, 밋밋한 무표정으로 흘깃 쳐다보는 애들, 다양한 친구들의 시선을 마주하던 소년은 좀 더 자유롭기를 바라며 다시금 상상의 공간으로 자신을 떠나보낸다.

“킁킁~ 어디 이상한 냄새 나지 않아, 이거 변기에서 나는 그런 거지.” “맞아, 똥 냄새 아냐.” “엄청 심한데 어디서 나는지 알 수가 없네.” 사람들이 저마다 힐끗거리며 내뱉는 말들이 들린다. 소변을 보던 그들은 주변을 샅샅이 살피지만 어디서도 불쾌한 냄새의 근원을 찾을 수 없다. 그때였다. 마치 사막에서 오아시스를 만나야 나오는 환희와 희열에 넘친 목소리가 들렸다. “여기, 여기다. 요기 똥파리가 숨어 있었어. 요놈이 구린내의 정체였어.” 남성들은 마치 금덩이를 보듯이 똥파리를 주시하며 놀랍다는 표정을 지었다. 그런데 신기하게도 쳐다볼 뿐 그 누구도 애써 발견한 존재를 잡으려 하지 않는다. 구린 똥 냄새가 혹시 자신에게 베일까 두려워서일까? 삶과 죽음의 경계에 서 있던 똥파리는 그것을 아는지 모르는지 그저 눈을 끔뻑이며, 지금의 상황을 이해해 보려 애쓴다. “나는 조금 전까지 학교에 있었는데, 거기서 선생님에게 맞아 코피가 터졌었잖아. 근데 왜 갑자기 공중화장실 창가 틈에 와 있는 거지? 어라~ 날개도 생겼고 눈도 겁나 커졌네. 손과 발도 많아졌어. 사람들이 나를 보고 뭐라 하는데 정말 이상해.” 그 순간 공중화장실 희뿌연 유리창에 비치는 신비로운 녹색 금빛 색깔의 오동통한 파리 한 마리가 소년의 밀집 형태의 육각 모양 동공에 비췄다. 그 모습을 보던 파리의 초점은 순간 부르르 흔들리며 난생처음 동공 지진을 경험한다. “이럴 수가, 내가 왜 파리가 된 거지, 난 세상을 구원하는 초능력 우뢰매가 되길 바랐는데 웬일이야?, 그것도 사람들의 말을 들어보니 똥파리라니, 이건 현실이 아닐 거야.”

잠시 후 남성 공중 화장실에서 소변을 보던 남성 한 명이 흠칫 놀라며 무언가를 쳐다본다. 그 시선을 느낀 똥파리도 놀라 주변을 살피니, 기척도 없이 화장실로 들어와 걸레로 여기저기를 훔치고 있는 여성 환경미화원이 보였다. “남자가 뭐 그리 놀래요. 그렇게 숫기가 없어서 밤일은 잘할런가 모르겠네.”라는 여성 미화원의 말은 주문같이 용변을 보던 남성들을 순식간에 초식남으로 변하게 만든다. “아이고 장난이에요. 뭘 그리 놀라서 다들 눈이 똥그래져요. 금방 나갈 테니 조금만 기달리슈.” 애써 남성들의 긴장을 풀어주려는 그녀의 말은 그다지 효과가 없었는지, 이미 사냥꾼에게 쫓기던 사슴처럼 변해버린 남성들은 창백한 얼굴빛으로 도망치듯 화장실을 벗어난다. 대수롭지 않게 그 모습을 히죽거리며 지켜보던 그녀는 시선을 돌려 주변을 두리번거리며 다음 청소 거리를 찾는다. 그녀의 눈빛을 통해 스멀거리며 탁하고 어두운 공기가 점차 똥파리의 울대를 조여온다. “이러다 죽겠다. 빨리 도망치자.” 똥파리의 뇌간이 자동으로 열리며 다량의 경고 신호를 쏟아낸다. 동시에 손인지 발인지 모를 수족을 입으로 옮겨가 비비기 시작하며 불안을 떨치려 애쓴다. 등의 솜털이 곤두서며 조만간 그녀로부터 코피가 터지는 정도로 끝나지 않을 어떤 생명의 위협이 닥칠 것을 느끼던 녀석은 허겁지겁 그 자리를 떠나보려 애쓴다. 그런데 이게 어찌 된 일인지 녀석의 날개가 전혀 움직이지 않는다. "아, 나는 원래부터 날지 못했구나. 아마 뚱뚱한 것도 날지 못해서 그럴 거야. 이렇게 죽기는 너무 억울해." 그때였다. 마음 깊은 곳에서 어떤 희미한 목소리가 들려왔다. "인마 정신 차려, 최소한 네가 왜 파리로 변했는지는 알고 죽어야 하지 않겠어. 이렇게 된 것은 분명히 어떤 이유가 있을 거야. 그러니 그 이유를 알 때까지는 무조건 살아남아." 그 말을 듣자마자 신기하게도 몸과 마음이 조금은 가벼워지며 힘이 생기는 듯했다. 곧 똥파리는 젖 먹던 힘까지 쥐어짜며 날갯짓을 해보지만, 여전히 돌처럼 굳어진 날개는 움직일 기미가 보이지 않는다.

그 순간 천천히 여성 미화원의 시선이 창가로 옮겨와 두려움에 떨고 있는 녀석의 눈과 마주치기 직전, 생존을 위한 또 다른 똥파리의 무의식이 외친다. "야, 날지 못하면 어때, 그냥 걸어가면 되지. 어디가 되었든지 일단 걸어가라고. 한발 두발 걸어봐." 그러자 살아오면서 숱하게 마을 숲과 밭, 시냇가를 쏘다녔던 소년의 기억이 밀물처럼 쏟아져 들어온다. 동시에 은하철도 999의 기관차 바퀴를 돌리는 것처럼 똥파리의 6개 다리가 전속력으로 발발거리기 시작한다. 곧 똥파리는 슝~ 하고 마치 새총을 떠난 돌멩이처럼 걷다가 달리기 시작한다. 그렇게 똥파리는 난생처음 새로운 모습으로 또 다른 세상을 향해 첫 발자국을 내디딘다.

치유나무숲
아웃도어연구회

Episode 3 이 모든 것은 너를 위해서

6개의 다리를 쉼 없이 놀려 겨우 여성 환경미화원의 시선을 벗어난 똥파리는 어느덧 이름 모를 시골 마을 축사를 지나치고 있었다. “꼬르륵” 배꼽시계가 울린다. “어라~ 배가 고픈데, 이제 살 만하니 뱃속에서 신호가 오는구나. 아까 지나친 한우 고깃집의 소고기 냄새가 그립네.” 그때였다. 똥파리의 말소리를 듣고 황소가 커다란 눈망울을 부라리며 말을 건넨다. “어이, 내가 옆에 있는데 소고기가 냄새가 어쩌고저쩌고 말하는 것은 너무 예의가 없는 거 아니야.” 흠칫 놀란 똥파리가 두리번거리며 말한 이를 찾는다. 아무리 둘러봐도 주변에는 축사 안에 있는 누런 소 한 마리만 보인다. “혹시 당신이 나한테 말한 거야?” 그러자 한우가 한심하다는 표정을 지으며 “이놈의 멍청한 똥파리야, 여기에 나 아니면 아무도 없는데 그럼 누가 너한테 말했겠냐.”고 타박을 준다. 그 말을 들은 똥파리는 기분이 나쁘기는커녕 깜짝 놀랐다. “앗, 내가 사람들 말뿐 아니라 동물들의 말도 알아들을 수 있는 능력이 있나 보다. 정말 신기하네.”

이런 생각을 하고 있을 때, 갑자기 축사가 우지끈하며 흔들린다. 그 안에 있던 황소가 빠져나오려고 몸부림을 치며 생긴 여파로, 소의 울부짖음이 함께 전해져 온다. “한우야, 정신 차려, 갑자기 왜 그러니?.” 한우가 걱정스러웠던 똥파리가 물었다. 그러자 한우가 잠시 울부짖음을 멈추고 “나 있잖아, 사실은 내일 도살장으로 끌려가. 사룟값이 너무 올라서 주인이 나를 키울 수가 없다나 봐. 도살장에서 죽으면 한우 식당으로 가겠지, 음매~” 안타까운 표정으로 한우의 말을 듣던 똥파리가 조심스레 말을 잇는다. “아이고 큰일이네, 정말 화나고 무섭겠구나, 우리 함께 방법을 찾아보자. 분명히 좋은 해결책이 있을 거야, 근데 한우야 대책을 세우기 전에 먼저 이것부터 물어볼게.” 똥파리의 질문을 받은 한우는 고마움으로 눈물을 글썽거리며 미소 띤 표정으로 말한다. “뭔데, 말해봐, 그래도 나를 이해하고 도와준다니 정말 고마워, 얼마든지 물어봐.” 그제야 똥파리가 질문을 던진다. “고마워 한우야, 내가 아까 지나쳐온 한우 고깃집 간판을 보니까, 너 같은 소가 환하게 미소 지으며 엄지 척하고 있더라, 나는 잘 모르겠지만 그 모습을 보니까 결국 한우 고깃집으로 가면 행복하니까 그런 거 아니야?” 그 말을 듣던 한우가 콧김을 내뿜으며 붉으락푸르락한다. “진짜로 미친 거 아닌 이상 누가 도살당해서 고기로 먹히는 것을 좋아하고 행복해하겠어, 그게 모두 인간들이 자기 처지에서 돈을 많이 벌려고 우리는 이상하게 식당 간판에 그리는 거지, 솔직히 먹고 사는 데 필요 이상으로 생존을 넘어 쾌락을 추구하는 존재가 인간 말고 또 있어? 그들의 욕망은 끝이 없지.” 곰곰이 한우의 말을 듣던 똥파리가 맞장구를 친다. “맞아, 너의 말을 들어보니 생명에 대해 우리가 잊어버린 중요한 것들이 많은 것 같아. 나 역시 친하다는 이유로, 장난이라는 이유로 너무나 많은 상처를 주기도 하였고 받기도 했어.” 의외라는 표정을 짓던 한우를 보며 똥파리는 담담하게 말을 이어간다. “나 예전에 인간이었을 때 좋아했던 동화가 있거든. 「마당을 나온 암탉」이라는 책이었는데, 마지막 장면에서 족제비의 생존을 위해 자신의 생명을 내어주던 주인공 암탉 잎사귀의 모습이 지금도 생생하게 떠올라. 아마도 이런 장면이었지, 족제비가 자기를 먹으러 오자….암탉 잎사귀가 눈물을 흘리며…. 족제비에게 말해. 그래 날 먹어……. 너의 아이들이 배고프지 않게 날 먹어……. 라고. 나는 그 모습이 생명에 대한 진정한 존중이라고 생각했어.” 진지한 표정으로 그 말을 듣던 한우가 연신 고개를 끄덕거리며 말한다. “맞아, 각자의 생존을 위해 꼭 필요한 만큼만의 절제된 소비가 이루어진다면 우리 모두 행복하게 살 수 있을 텐데, 어딘가 그런 세상이 있겠지.” 얼마 동안인지는 모르겠지만 둘 사이에는 헤아리기 힘든 부드럽고 포근한 그러면서도 결코 부족함 없는 침묵이 흘렀다.

자연스럽게 서로의 눈을 들여다보던 똥파리와 한우는 마치 합창하듯 외쳤다. “우리 함께 가자” 조금 후 소를 도살장으로 옮기기 위해 주인이 축사의 문을 열었다. 그러자 똥파리의 다리가 자동으로 반응하듯 종종거리며 발발거리기 시작했고, 웽웽거리는 소리로 소 주인의 주의를 어지럽혔다. “아이씨, 이런 재수 없는 똥파리가 있어, 파리채 어디에다 두었지?” 화가 잔뜩 난 소 주인이 허둥거리는 동안 한우는 때를 놓칠세라 열린 축사의 문을 박차고 나왔다. 저 멀리 보이는 산봉우리, 거기로 무작정 달리기 시작한 한우. 똥파리도 살기를 머금은 파리채를 겨우 피해 한우의 누렇고 풍성한 머리털을 꼭 붙잡아 하나 되어 바람을 뚫고 시원스레 나아간다. 아쉬움과 분노가 뒤섞인 소 주인의 고함을 뒤로 내친 채 그 둘은 마치 오래된 친구처럼 서로를 의지하며 내달린다.

온 힘을 다해 뛰어가던 한우가 이제 다소 마음의 안정을 찾았는지 똥파리에게 말을 건넨다. "사실 처음 만났을 때는 잘 몰랐는데, 함께 있다 보니 너는 어떤 상황에서도 상대방을 참 잘 이해하고 존중해주는 것 같아." 똥파리가 어색한지 손을 마주 비비며 겸연쩍은 미소를 짓는다. "고마워 한우야, 정말 내가 그런가? 사실 나는 쑥스러움이 많아서 남들 앞에 잘 나서지도 못하고, 말도 하지 않는 편이거든." 그러자 황소가 고개를 절레절레 흔들며 "아니야, 내가 너를 처음 만났을 때 멍청하다고 욕하고, 콧김을 뿜으며 화도 냈지만, 그때마다 넌 참 차분하게 친절을 보여 주었잖아. 그래서인지 따뜻하게 이해받는 느낌이 들었어." 한우와 똥파리의 눈이 서로를 바라보며, 짧지만 깊은 공감 느낌을 교환했다. 환한 표정을 짓고 있던 한우가 "무엇보다 너는 상대방의 고민과 어려움을 잘 해결해 주는 능력이 있는 것 같아. 네 덕분에 자유를 얻을 수 있었어. 정말 고마워." 살아오며 칭찬과 도움을 받아본 경험보다 비난과 폭력을 더 많이 겪은 똥파리는 한우의 말을 들으며 참으로 어색해하는 자신을 새삼 느낀다. 한껏 머쓱해져 어색한 미소만을 전하던 똥파리가 문득 떠오른 생각을 한우에게 말해본다. "한우야, 우리가 함께 여행 다니며 만나는 존재들과 내가 상담을 해서 먹을 것도 구하고, 똥파리로 변한 이유, 그리고 다시 사람으로 돌아갈 방법도 찾아보면 어떨까? 그러면 구린내로 피해만 끼치는 것이 아니라 누군가에게 도움을 줄 수 있으니까 너무 좋을 것 같아." 그 말을 들은 한우는 달려서 숨이 차오르는 것 때문인지, 가슴 밑바닥에서 올라오는 어떤 벅찬 감정 때문인지 모르겠지만 어떤 말 대신 감동으로 글썽거리는 눈망울과 원을 만든 긴 꼬리로 똥파리의 말을 응원하고 지지하였다. 한편, 그동안 쉬지 않고 달린 한우의 발걸음이 어쩐지 아까보다 더욱 힘차게 보이는 이유는 무엇일까? 만약 그 발걸음이 말을 할 수 있다면, “적어도 지금 여기의 모든 것은 세상의 모든 가식에서 벗어나 진정으로 나를, 우리를 위한 것이야”라고 얘기할 것만 같다.

치유나무숲
아웃도어연구회

episode 4 돌고래는 숲에

한숨도 쉬지 않고 어딘지 모르는 산봉우리를 향해 가던 한우와 똥파리의 시선에 흐릿한 물고기 형태의 모습이 들어왔다. 한우가 큰 목소리를 먼저 묻는다. “음매~ 거기 숲속 나무와 풀 뒤에 있는 넌 누구냐? 나는 여기 똥파리와 함께 여행을 다니는 한우다.” 잠시 뒤, 부스럭거리며 우거진 나무와 풀을 헤치고 나온 것은 바다에서나 볼 수 있는 돌고래였다. “안녕, 좀 놀랐지, 놀라게 하고 싶지 않았는데, 여기 산에 오니 다들 나를 이상하게 보더라고. 바다에 있어야 하는데 여기 왜 왔냐고.” 주뼛거리는 돌고래를 보던 똥파리가 웃으며 말을 건넨다. “괜찮아, 돌고래야, 나도 인간이었는데 어쩌다 똥파리가 되었어. 나에 비하면 넌 하나도 이상하지 않아.

오히려 네가 바다가 아닌 산에 있는 것이 더 자연스러운 것일 수도 있지. 그런데 혹시 어디 가는 길이야?” 그 말에 그동안 긴장했던 지느러미와 꼬리를 풀며 안도의 숨을 내쉬던 돌고래가 말을 잇는다. “사실은 나 있잖아, 어린 시절부터 부모님이 상어처럼 강해지라고 다그치는 것이 너무 싫었어. 물론 나를 위해서 그런 말을 하시는 건 알았지. 하지만 어느 순간 내가 상어가 아닌 것을 알게 되며 정말 혼란스러웠어, 그렇게 방황의 시간을 보내던 중 강을 찾아가던 연어와 만나 신나게 놀다가 그만 길을 잃어버렸지 뭐야, 그래서 결국 바다에서 강을 거슬러 산에 있는 계곡까지 오게 된 거야, 나 바보 같지." 그 말을 듣던 똥파리가 말했다. "바보 같은 삶은 없어, 어쩌면 실패와 방황을 두려워하는 삶이 더 바보 같은 삶일 수 있지, 그러니 충분히 괜찮아." 잠시 후 눈시울이 붉어진 돌고래가 "솔직히 바다를 벗어나 산은 처음이라 지금 너무 무섭고 불안해" 그러자 고개를 주억거리며 듣던 똥파리가 말했다. "돌고래야, 누구나 처음이란 두렵고 무서운 것 같아. 한우와 나도 집을 떠나와서 너하고 비슷한 심정이란다. 오히려 안정적이고 편안하면 그게 이상한 거 아닐까? 무언가로 변화하고 성장하기 위해서 무엇보다 필요한 것은 불안정인 것 같아." 그 말에 조금 더 표정이 밝아진 돌고래가 한우와 똥파리를 향해 조심스레 물어본다. "혹시, 나 있잖아, 너희들과 함께 가도 될까? 나 혼자 있는 것은 너무 외로운 것 같아서 그래" 연신 고개를 끄덕이며 듣고 있던 한우가 기다렸다는 듯이 함박웃음을 지으며 환호했다.

"좋아, 좋다고, 우리 모두 상처라는 공통점을 가지고 있구나. 나는 그것만으로도 뭔가 의지가 되고 힘이 나는 것 같아. 근데 나는 한우고 재는 똥파리, 너는 이름이 뭐니?" 잠시 머리를 부여잡고 고민에 빠진 돌고래가 눈에 힘을 주며 말했다. "내 이름은 부모님이 지어주신「상어 바라기」였어. 집에서는 상바야~ 라고 불렸거든. 근데 왠지 네가 이름을 물어보니 선뜻 상바라고 말하기가 주저되네. 의아하다는 표정의 한우가 되묻는다. "상바라고, 부모님이 정해주신 좋은 이름 같은데, 왜 말하기가 꺼려질까? 나는 태어나자마자 엄마와 강제로 떨어졌어. 어딘지도 모르는 곳으로 팔려가서 부모님 얼굴도 기억하지 못해 슬펐거든" 그때였다. 골똘히 생각에 잠겼있던 돌고래가 지느러미를 불끈 쥐며 외쳤다. "나는 다시는 상바라고 불리며 살고 싶지 않아." 그 말에 똥파리가 반갑다는 듯이 되받아친다. "와~ 너는 지금까지와는 달리 무언가 다른 이름으로 불리고 싶나 보다. 그게 어떤 거야?" 불그스레 홍조를 띤 돌고래가 약간 들뜬 모습으로 외쳤다. "나는 말이야, 나는 그러니까, 산으로 간 돌고래잖아, 그래서 산돌이라고 할래, 더는 부모님이 정해 준 이름으로 살고 싶지 않아. 그러니까 너희들도 지금부터 나를 산돌이라고 불러줄래." 돌고래의 말이 끝나기 무섭게 서로의 눈을 마주치며 합창하듯 외친다 "산돌~ 정말 좋은 이름이다. 만나서 반가워, 산돌아." 함께 있던 모두의 표정이 환해지며 석양이 조금씩 깔리는 숲을 더욱 환하게 밝힌다.

서로의 마음을 깊이 나눈 시간이 어느 정도 흐른 뒤 똥파리가 힘찬 발걸음을 내디디며 산돌과 한우를 앞서 나간다. "이제 우리 다시 힘을 모아 저 멀리 보이는 산봉우리로 가자. 저 봉우리 위엔 우리를 도와줄 무언가가 분명히 있을 거야." 그 말이 떨어지기 무섭게 해가 지기 시작하며. 서서히 어둠이 내려앉는다. 그런데 참 이상하다. 울창한 나무로 덮여 점차 컴컴해지는 공간 사이로 희미한 불빛이 보인다. 한우와 산돌은 그 불빛을 뚫어질 듯 쳐다본다. 마치 그 불빛은 도깨비불처럼 이리저리 날아다니며 켜졌다 꺼지기를 반복하였다. 서서히 무서워지기 시작은 그들은 똥파리를 부르며 도움을 요청하였다. "똥파리야~ 너. 어디 있는 거야. 저기 앞에 불빛이 보였다가 사라지는데 무서워죽겠어." 다행히 멀지 않은 곳에 있던 똥파리는 공포에 짓눌린 둘의 외침을 듣고 급히 그들을 향해 갔다. 그런데 이게 웬일인가? 똥파리가 날고 있던 것이었다. 그것도 귀청을 울릴 정도로 웽웽거리는 큰 소리와 함께 머리카락을 날릴만한 날갯짓을 보여줄 정도로 말이다.

어찌 된 걸까? 자신도 어안이 벙벙해져 잠시 허공에 멈추어 곰곰이 생각에 잠긴다. "분명 나는 파리로 변한 후 날 수 없었잖아, 그때는 아무리 날개를 움직이려 해도 되지 않았어. 그런데 이게 어떻게 된 거지? 혹시 사람으로 다시 돌아갈 수 있는 징후가 아닐까?" 어둠 속에서 녀석의 육각형 눈망울이 희망으로 빛나며 환한 미소가 입가에 번진다. 날 수 있다는 그리고 어쩌면 사람으로 돌아갈 수도 있다는 기쁜 소식을 한우와 산돌에게 빨리 전하고 싶어 똥파리는 힘껏 날기 시작했다. 비로 앞에 보이는 반가운 한우와 산돌, 어쩌면 이제 그들은 똥파리에게 가장 가깝고 친밀한 가족일 것이다. 땅, 바다, 하늘에서 각각의 인생 경험과 다른 특성을 가진 새로운 가족의 구성, 그리고 저기 보이는 미지의 불빛은 그들만의 여정을 축복하는 신호일지, 역경의 신호일지 현재까지는 아무도 알 수 없다.

치유나무숲

Epilogue　Q&A 왜 하필 "글쓰기숲치유"인가요?

주로 말을 이용해 대화하며 치유하는 일을 보통의 경우 심리상담이라고 합니다. 저는 심리상담사라는 직업으로 약 11년간 활동하며 현재까지 이것으로 밥을 벌어먹고 있습니다. 그런 제가 말이 아닌 글쓰기로 셀프 치유하게 된 흥미로운 경험의 시간을 올해 초에 갖게 된 것이죠. 그 흥미로운 경험이란 2023년에 하반기 3월부터 4월까지, 고유 출판사에서 진행한 글쓰기 프로젝트 1기 과정이었습니다. 그 과정을 통해 "나에게로 와 고유함이 되었다."라는 책을 만날 수 있었고요. 그로 인해 저는 수필가라는 또 하나의 직업명도 가질 수도 있었습니다. 그 책에는 함께 참여한 6명의 또 다른 작가들의 고유함에 대한 여러 얘기가 담겨있습니다. 그 중 저의 고유함은 "치유"였습니다. 저는 글쓰기를 통해 그동안 마음 깊이 억압하고 회피, 부인하였던 내면의 트라우마를 치유하는 흥미로운 내적 경험을 하였습니다.

심리상담사가 되기 위해서는 개인상담과 집단상담, 심리검사 실습뿐만 아니라 내담자로서의 경험 실습 등을 포함하여 최소 1년 이상의 시간을 수련해야 합니다. 수련의 시간을 통해 얻은 여러 경험적 교훈 중 하나는 고집이 센 저와 같은 사람의 경우 타자에 의한 치유보다 자아에 의한 치유가 좀 더 효과적일 수 있다는 것이었습니다. 쉽게 말하자면 방어가 높은 저와 같은 사람의 경우 상담사를 포함한 남의 이야기를 잘 듣지 않는다는 것이죠. 심리적 외상 즉 트라우마가 깊고 넓을수록 사람을 포함한 세상에 대한 신뢰가 약해지기 때문입니다.

그렇지만 희망이 전혀 없지는 않습니다. 개인이 아닌 다수가 말하는 얘기(집단상담 등) 혹은 내가 나에게 하는 얘기(글쓰기, 명상, 포커싱, EFT, 게슈탈트 등)는 좀 더 치유, 변화, 성장 등을 일으키는 약발이 잘 먹힌다는 것이죠, 그래서 저는 최근에 심리 상담 이외에도 다른 치유 방법론에 관심을 두게 되었습니다. 그래서 나무와 풀, 향기, 경관, 물, 바람, 소리 등을 이용해 치유하는 산림치유와 내면의 자아와 소통하는 자비적, 표현적, 일상적 글쓰기가 바로 그것입니다.

앞서 말한 다양한 치유 경험들을 통해 "글쓰기 + 산림치유 + 심리 상담"을 융복합하면 좀 더 치유력을 높일 수 있을 것이다. 라는 가설을 세우게 되었고, 그 가설을 검증하는 과정을 여러분이 보고 계십니다.

글쓰기숲치유 1기에서 다루었던 치유 과정은 온라인과 오프라인의 융복합 환경에서 진행하였습니다. 전 과정에는 "글쓰기 치유, 심리검사 및 심리상담 치유, 산림치유"가 적용되었습니다.

1) 총 5주간의 과정 : 온라인 4주 → 오프라인 3박 4일

2) 주요 내용

- 글쓰기 치유 : 자유 형식, 자유 주제, 개인 분량 A4 12페이지~15페이지

※ 문예창작 전문작가에 의한 글쓰기 수업, 임상심리전문가에 의한 치유글쓰기 강연 포함

- 심리검사 및 심리상담 치유 : MBTI 심리검사, 모닥불 · 걱정인형 · 감사팔찌 집단상담 등
- 산림치유 : 트레킹, 하이킹, 플로깅, 호흡명상, 요가행공, 숲캘리치유, 아로마숲바디워크 등

"똥파리 날다"의 주인공은 물론 저입니다. 이 얘기는 그동안 어떤 상황에서도 혹은 누구에게도 표현하지 못했던 내면의 깊은 트라우마였습니다. 드디어 지금, 이 순간 글쓰기숲치유 1기 프로젝트를 통해 밖으로 꺼내어 표현함으로써 치유의 시작점을 갖게 된 것을 자축합니다. 몸과 마음 건강에 참 좋은데 말로 잘 표현되지 않는 "글쓰기숲치유 프로젝트 2기. 3기"를 준비하며 함께 할 여러분을 기다리겠습니다.

산수유 익어가는 제천 상천리에서, 글쓰기숲치유 1기 프로젝트매니저&참가자 홍광국 배상

글숲 2기 모집

나에게 보내는 자비로운 한 마디

이제 그만
풀어져도
괜찮아~

숲에 모여 글을 썼습니다

발행 | 2023년 12월 18일
저자 | 사랑표, 이희선, 류두희, 아름, 자자, 홍광국
펴낸이 | 치유나무숲아웃도어연구회
디자인 | 비파디자인
펴낸곳 | 고유
출판사 등록 | 2022.12.12 (제2022-000324호)
주소 | 서울특별시 마포구 와우산로3길 29 2층
전화 | 070-8065-1541
이메일 | goyoopub@naver.com

ISBN | 979-11-93697-02-3 (03810)

www.goyoopub.com